ANTES DE...
LEER

Por: Nilsa Ortega

DESTREZAS PREPARATORIAS PARA ANTES
DE EMPEZAR A LEER POR EL MÉTODO SILÁBICO TRADICIONAL
O LA LECTOESCRITURA

**GUIA PARA EL
MAESTRO O TUTOR
AL FINAL
DEL LIBRO**

Libros Preescolares

OTROS LIBROS DE LA MISMA AUTORA:

1. Destrezas de escritura para el desarrollo de los músculos de las manos
2. Matemáticas preescolar 0-10
3. Mi mundo, mi país, mi comunidad y yo (Estudios Sociales)
4. Los Sonidos del ABC
5. Mi Método de Lectura
6. Mi primer libro de ciencia
7. Poemas para colorear
8. Mi primer gran libro
9. My First English Words I
10. My First English Words II
11. Mi Primera Cartilla
12. ¡Qué Grande Estoy!
13. Camino Espiritual
14. Apresto para las destrezas de español
15. Antes de Escribir

Ilustraciones: Ivelisse Figueroa
Diseño de portada: Víctor M. Claudio
Producción General:

© Copyright Nilsa Ortega de Rodríguez
Edición 2001, 2000, 1999, 1997, 1996
Derechos Reservados
ISBN 1-881729-16-8

Impreso en Puerto Rico

Nota aclaratoria:

INTRODUCCION

Antes de aprender a leer, por medio del método silábico-tradicional o por el método de lectoescritura, toda persona debe pasar por un proceso de aprendizaje de unas destrezas a las que los educadores llamamos destrezas básicas. Cuando vamos a construir una casa nos aseguramos de prepararle una buena y sólida base, o zapata, para que no se nos derrumbe, o caiga más adelante. También todos sabemos que gateamos antes de caminar. Eso es lo que representan las destrezas presentadas en este libro para los niños que lo trabajen: una sólida base y una buena etapa de gateo como preámbulo a la lectura. Es lo que comúnmente se conoce como el apresto para la lectura. Esta es una experiencia más bien pre-escolar, ya que se espera que cuando un niño llega al primer grado tenqa conocimiento y dominio de estas destrezas, para así poder realizar mejor el trabajo que le espera en este qrado.

Las destrezas a las que me refiero, aparecen en este libro organizadas de acuerdo a su grado de dificultad (de lo fácil a lo difícil) e ilustradas con llamativos dibujos para que el estudiante, una vez concluido su trabajo, los coloree si así lo desea. Esto a su vez, le ayudará a ejercitar y desarrollar los músculos de las manos. Se han sugerido colores, pero el estudiante puede decidir cambiarlos por los que más le agraden. También sugiero colorear o "puntear", que no es otra cosa que llenar de puntos la parte que se colorea del dibujo, ejercicio que ayuda grandemente al desarrollo visomotor. Los niños escogerán la forma que más les agrade.

Los nombres de las destrezas básicas que aparecen en el libro son:
1. Reconocimiento de colores
2. Captar detalles
3. Detalles de forma
4. Tamaño
5. Posición
6. Dirección
7. Asociación
8. Clasificación
9. Orden
10. Orden de sucesos
11. Rima
12. Reconocimiento de vocales

Estas doce destrezas aparecen en este libro, preparado con todo mi cariño, para los niños, sus padres y sus maestros. A estos últimos, espero ayudarlos a aliviar la pesada carga que es el enseñar a niños de tan tierna edad. Por tal razón, he preparado al final de casi todas las destrezas, una o más páginas que servirán para evaluar si el estudiante ha aprendido la destreza, o si por el contrario necesita más ayuda para dominarla. De esta manera el maestro sabrá a qué niños debe reenseñar y con cuáles puede seguir adelante. A esta nueva edición decidí añadirle un poco de color para hacer el libro más atractivo visualmente. Es bueno señalar que los colores que presentan los dibujos, casi siempre sólo en los bordes, no necesariamente indican el color que se deben pintar (excepto en la destreza de colores). Los estudiantes usarán su creatividad y pueden colorear con sus colores preferidos aún cuando vean el borde de un color específico. La maestra debe aclararle esto a los estudiantes cuando dé las instrucciones antes de realizar cada página.

A través del libro, el niño tiene oportunidad de desarrollar otras destrezas muy importantes como son:

1. Seguir instrucciones
2. Desarrollo de lenguaje
3. Coordinación motriz
4. Enriquecimiento de vocabulario
5. Seguir visualmente de izquierda a derecha
6. Organizar e interpretar series de láminas en secuencia.
7. Comparación y contrastación
8. Llegar a conclusiones
9. Crear historias
10. Movimiento coordinado entre los músculos de los ojos y las manos (visomotor).
11. Deseo de aprender.
12. Sentido de pertenencia (cada niño tendrá y cuidará su libro).

Vaya pues, mi libro, para todos los niños que deseen aprender, y para todos los padres y maestros que deseen que sus niños aprendan bien, luego de haberles preparado una base sólida.

La autora

Nilsa Ortega Figueroa

Nace en Bayamón, Puerto Rico un 2 de
septiembre de 1949. Vive en Naranjito toda
su infancia y temprana adultez. Se gradúa
de la Academia Santa Teresita con altos
honores. Es admitida en la Universidad
de Puerto Rico en 1967, donde hace sus
estudios en Pedagogía concentrándose en Español y Educación
preescolar.

Se casa con Rafael Rodríguez y procrean tres hijas. Labora
como maestra en las escuelas públicas de su pueblo y es ahí
que surge la idea de crear sus libros, con los cuales trata de
resolver la falta de material didáctico adecuado que confrontan
los maestros, especialmente en la escuela pública.

Se muda a Bayamón en donde se dedica sólo a atender a su
familia y comienza la creación de sus libros preescolares, los
que hoy día llegan a más de veinte títulos publicados. Son
muchos los niños y maestros que se han beneficiado con su
trabajo.

Actualmente reside en San Juan donde sigue haciendo lo
que más disfruta: libros para niños.

INDICE

LOS COLORES

Actividades sugeridas al enseñar los colores:

1. Se recomienda al introducir cada color utilizar algún tipo de pintura (finger paint, tempera, etc.) que el niño pueda utilizar libremente. Es una experiencia muy bonita e inolvidable para el niño ver cómo al mezclar dos colores surge un nuevo color.

2. Otra buena actividad sería coleccionar láminas del color estudiado. Esto ayuda al niño a afianzar el concepto de color que tengan.

3. Preparar "collages" o mosaicos con pedacitos de papel de construcción, tela o cinta del color bajo estudio, provee otro medio de afianzar el concepto de color a la misma vez que es una excelente manera de desarrollar la creatividad de los niños.

4. Recortar pedazos del color bajo estudio, de revistas o libros desechados.

5. Colorear figuras estereotipos de objetos que son del color bajo estudio. Ej. la zanahoria-anaranjada. Esta actividad brinda la oportunidad de asociar el color con algo determinado. Esta debe ser una de las actividades finales.

6. La enseñanza de cada color debe durar varios días (3 por lo menos). Así los estudiantes tienen la oportunidad de bregar con éstos de diferentes modos, de acuerdo a las actividades antes mencionadas.

Une los puntos y colorea o puntea la manzana y las fresas de color **rojo**.
DESTREZA: COLOR

Une los puntos y colorea o puntea el corazón de color **rojo** o puedes rellenar con pedazos de papel de construcción rojo (mosaico).
DESTREZA: COLOR

Une las líneas y forma la palabra **rojo**. Repite en voz alta.

Copia la palabra **rojo**.

4

Une los puntos y colorea o puntea el cielo y el mar de color **azul.**

DESTREZA: COLOR

Une los puntos y colorea o puntea el pajarito de color **azul** o puedes rellenar con pedazos de papel de construcción azul (mosaico).
DESTREZA: COLOR

Une las líneas y forma la palabra **azul.** Repite en voz alta.

Copia la palabra **azul.**

Une los puntos y colorea o puntea el sol y las flores de canario de color **amarillo**.
DESTREZA: COLOR

Une los puntos y colorea o puntea los guineos maduros de color **amarillo** o puedes rellenar con pedazos de papel de construcción amarillo (mosaico).
DESTREZA: COLOR

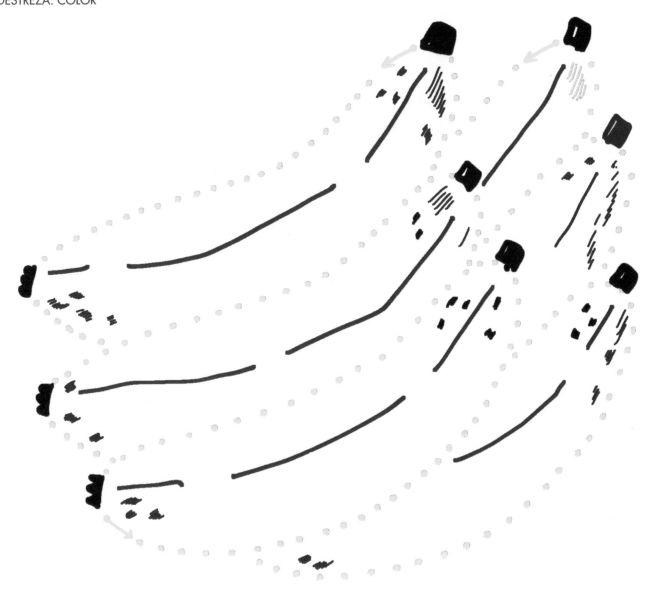

Une las líneas y forma la palabra **amarillo**. Repite en voz alta.

amarillo

Copia la palabra **amarillo.**

8

Une los puntos y colorea o puntea la zanahoria y la china de color **anaranjado.**
DESTREZA: COLOR

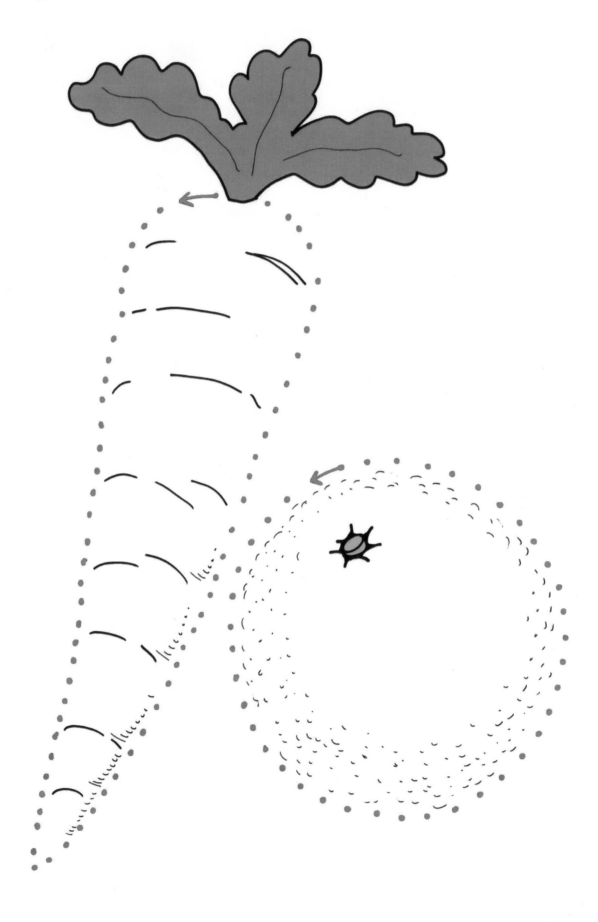

Une los puntos y colorea o puntea la calabaza de color **anaranjado** o puedes rellenar con pedazos de papel de construcción anaranjado (mosaico).
DESTREZA: COLOR

Une las líneas y forma la palabra **anaranjado**. Repite en voz alta.

Copia la palabra **anaranjado.**

Une los puntos y colorea o puntea la berenjena y las uvas de color **violeta**.
DESTREZA: COLOR

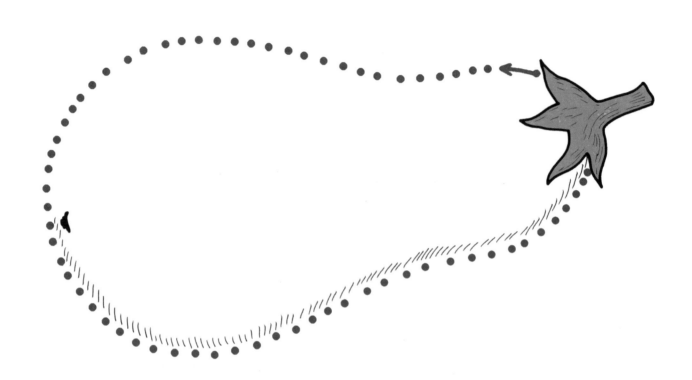

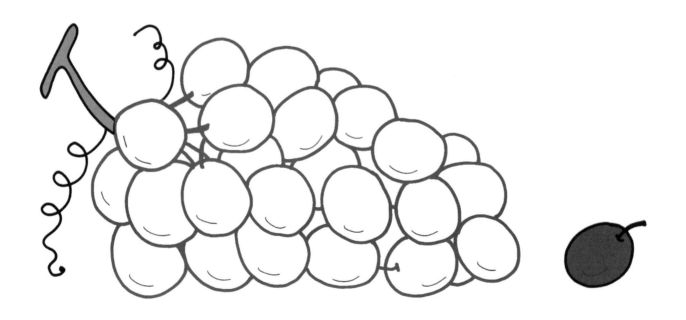

Une los puntos y colorea o puntea la flor de **violeta** o puedes rellenar con pedazos de papel de construcción violeta (mosaico).
DESTREZA: COLOR

Une las líneas y forma la palabra **violeta**. Repite en voz alta.

Copia la palabra **violeta.**

Une los puntos y colorea o puntea las hojas de color **verde**.
DESTREZA: COLOR

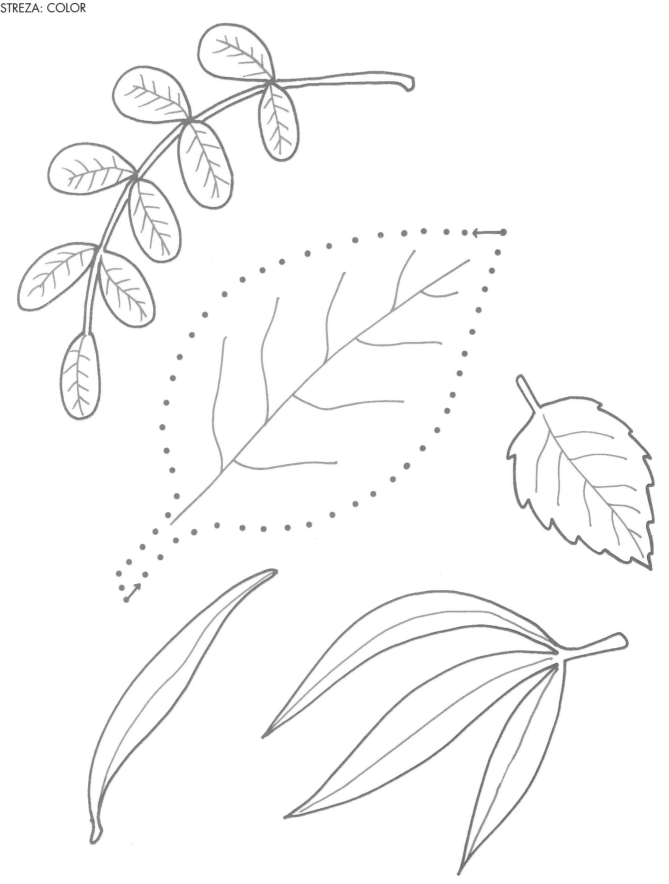

Une los puntos y colorea o puntea el follaje del árbol de color **verde** o puedes rellenar con pedazos de papel de construcción verde (mosaico).
DESTREZA: COLOR

Une las líneas y forma la palabra **verde**. Repite en voz alta.

Copia la palabra **verde.**

Une los puntos y colorea o puntea la papa y la yautía de color **marrón**.
DESTREZA: COLOR

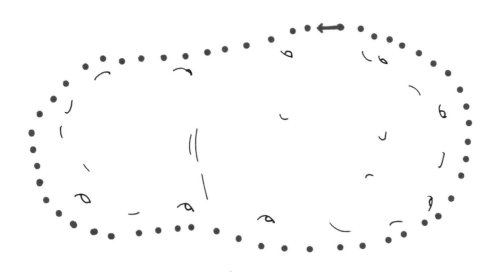

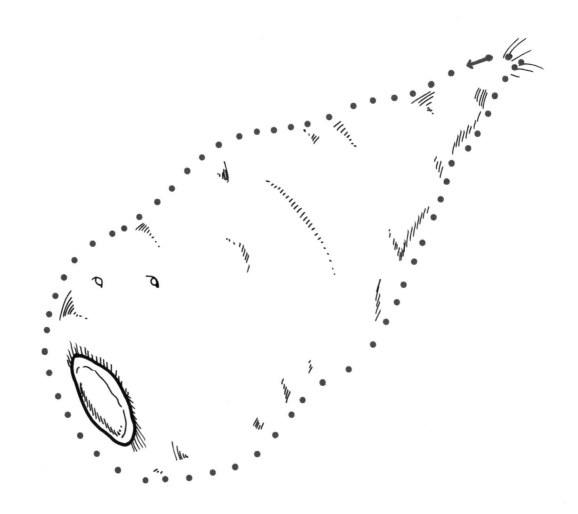

Une los puntos y colorea o puntea la bota de color **marrón** o puedes rellenar con pedazos de papel de construcción marrón (mosaico).
DESTREZA: COLOR

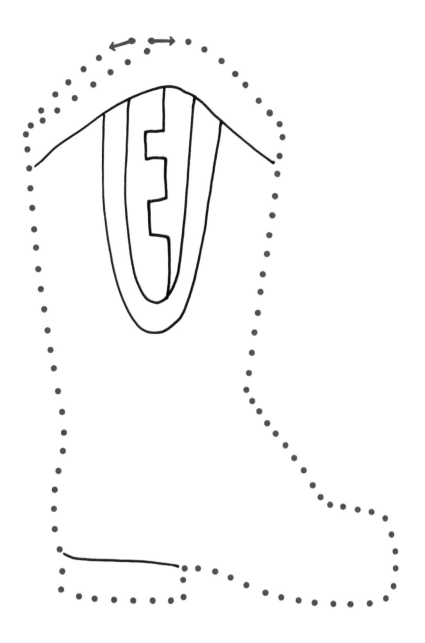

Une las líneas y forma la palabra **marrón**. Repite en voz alta.

Copia la palabra **marrón.**

Une los puntos y colorea o puntea las nubes de color **blanco**.

DESTREZA: COLOR

Une los puntos y colorea o puntea la leche de color **blanco** o puedes rellenar con pedazos de papel de construcción blanco (mosaico).
DESTREZA: COLOR

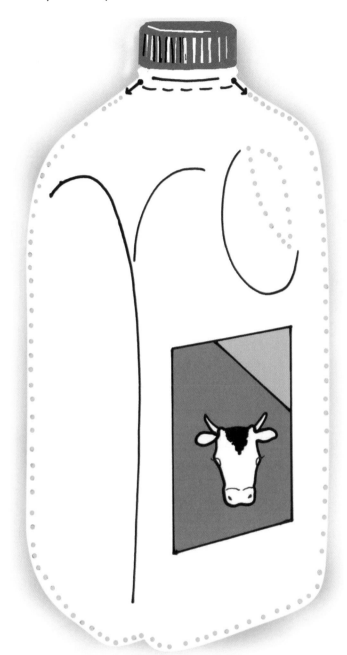

Une las líneas y forma la palabra **blanco**. Repite en voz alta.

Copia la palabra **blanco.**

18

Une los puntos y colorea o puntea la foca de color **negro** o puedes rellenar con pedazos de papel de construcción negro (mosaico).

DESTREZA: COLOR

Une los puntos y colorea o puntea el murciélago de color **negro**.
DESTREZA: COLOR

Une las líneas y forma la palabra **negro**. Repite en voz alta.

Copia la palabra **negro**.

EVALUACION
Colorea los dibujos de acuerdo al color que le corresponde.
DESTREZA: COLOR

china

hoja

sol

uvas

manzana

cielo

papa

leche

foca

EVALUACION
Recorta los tulipanes y las hojas de la página 23 y pégalos en el tulipán del color que le corresponde.

Recorta los tulipanes y las hojas y pégalos en la pág. 21, pareando los colores.
DESTREZA: COLOR

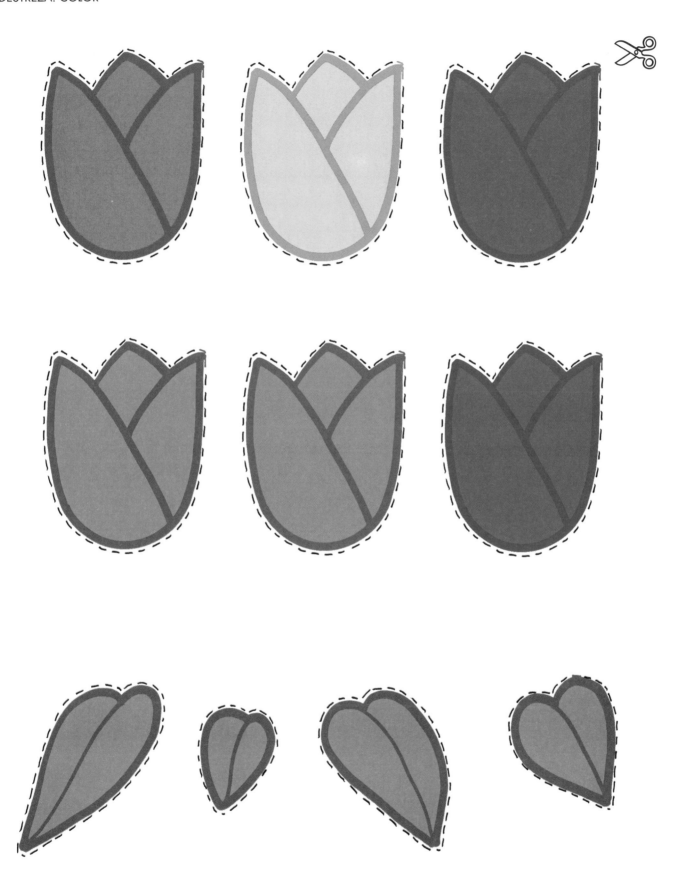

Colorea el arco iris con los colores que se te indican.
DESTREZA: COLOR

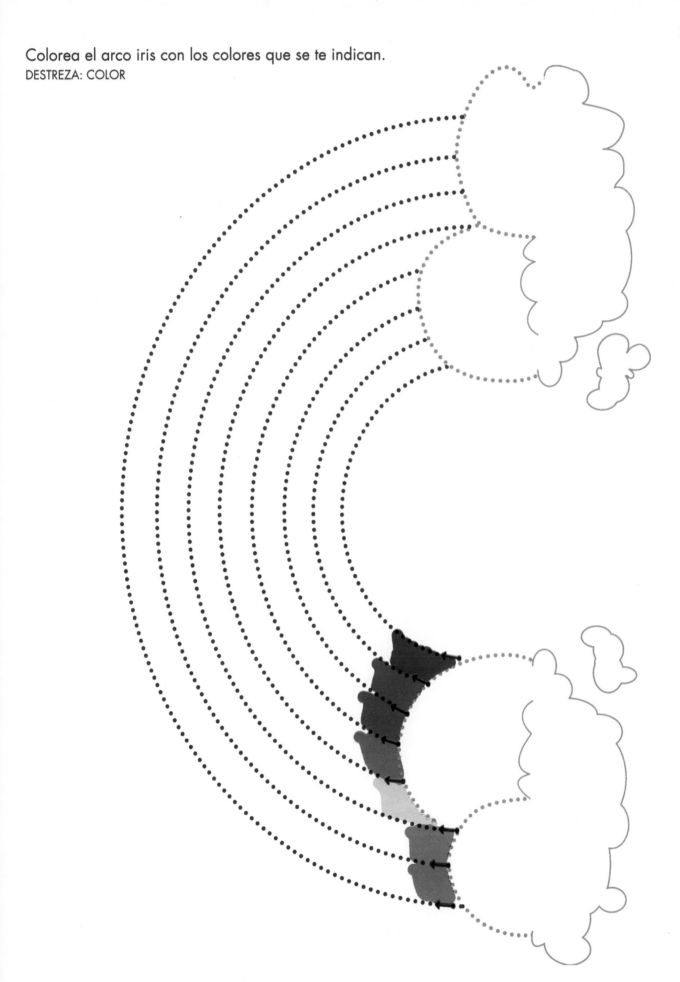

Completa los conos de barquillas siguiendo los puntos.
Completa la bola de mantecado y coloréala o puntéala de acuerdo a tu sabor favorito.

Completa los trazos y forma la X.

Copia la X en el espacio de abajo.

NOTA: Este ejercicio se da como práctica al razgo que los niños utilizarán en la mayoría de los ejercicios a través del libro.

Observa la lámina cuidadosamente. Repite los nombres de las cosas que ves en ella.
DESTREZA: DETALLES

28

Observa la lámina cuidadosamente. Repite los nombres de las cosas que ves en ella.
Piensa en la lámina anterior y marca con una X el lugar donde falta algo. Colorea o puntea.
DESTREZA: DETALLES

Observa la lámina cuidadosamente. Repite los nombres de las cosas que ves en ella.
DESTREZA: DETALLES

Observa la lámina cuidadosmanete. Repite los nombres de las cosas que ves en ella.
Piensa en la lámina anterior y marca con una X el lugar donde falta algo. Colorea o puntea.
DESTREZA: DETALLES

Observa la lámina cuidadosamente. Repite los nombres de las cosas que ves en ella.
DESTREZA: DETALLES

Observa la lámina cuidadosmanete. Repite los nombres de las cosas que ves en ella.
Piensa en la lámina anterior y marca con una X el lugar donde falta algo. Colorea o puntea.
DESTREZA: DETALLES

Observa la lámina de la parte de arriba. Mira todos sus detalles.
Cubre la parte de arriba con tu mano o un pedazo de papel. Observa la lámina de abajo.
DESTREZA: DETALLES

Menciona qué cosas faltan en esta lámina. Haz una X en el lugar donde falta algo. Colorea o puntea.

Observa la lámina de la parte de arriba. Mira todos sus detalles.
Cubre la parte de arriba con tu mano o un pedazo de papel. Observa la lámina de abajo.
DESTREZA: DETALLES

Menciona qué cosas faltan en esta lámina. Haz una X en el lugar donde falta algo. Colorea o puntea.

Observa bien los dibujos. Repite sus nombres. Pasa a la página siguiente. Colorea o puntea.
DESTREZA: DETALLES

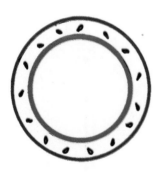

Recuerda que puedes usar tu propio criterio cuando colorees los dibujos y escoger tus colores favoritos.

Observa bien los dibujos. ¿Qué falta en cada grupo? Puedes dibujar lo que falta o hacer una X. Colorea.
DESTREZA: DETALLES

Observa bien los dibujos. Repite sus nombres. Pasa a la página siguiente. Colorea o puntea.
DESTREZA: DETALLES

Observa bien los dibujos. ¿Qué falta en cada grupo? Puedes dibujar lo que falta o hacer una X. Colorea.

DESTREZA: DETALLES

Observa bien los dibujos. Repite sus nombres. Pasa a la página siguiente. Colorea o puntea.
DESTREZA: DETALLES

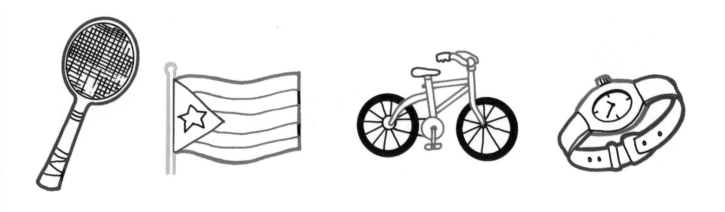

Observa bien los dibujos. ¿Qué falta en cada grupo? Puedes dibujar lo que falta o hacer una X. Colorea.
DESTREZA: DETALLES

Observa bien los dibujos. Repite sus nombres. Pasa a la página siguiente. Colorea o puntea.
DESTREZA: DETALLES

Observa bien los dibujos. ¿Qué falta en cada grupo? Puedes dibujar lo que falta o hacer una X. Colorea.
DESTREZA: DETALLES

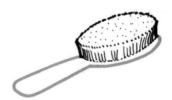

Completa los dibujos de la columna derecha observando los de la izquierda y coloréalos.

Marca con una X el dibujo que es diferente a los demás. Colorea o puntea.

DESTREZA: DETALLES

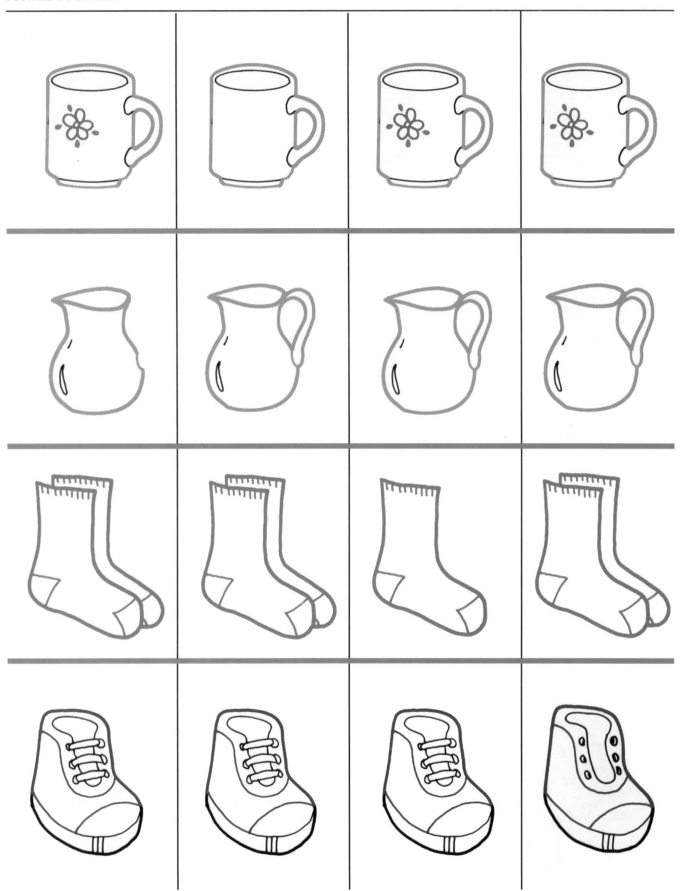

Marca con una X el dibujo que es diferente a los demás. Colorea o puntea.
DESTREZA: DETALLES

Recuerda que puedes usar tu propio criterio cuando colorees los dibujos y escoger tus colores favoritos.

Marca con una X el dibujo que es diferente a los demás. Colorea o puntea.

DESTREZA: DETALLES

EVALUACION

Marca con una X el dibujo que es diferente a los demás. Colorea o puntea.

DESTREZA: DETALLES

Marca con una X el dibujo que tiene la misma forma que el primero. Colorea o puntea.

DESTREZA: DETALLES DE FORMA

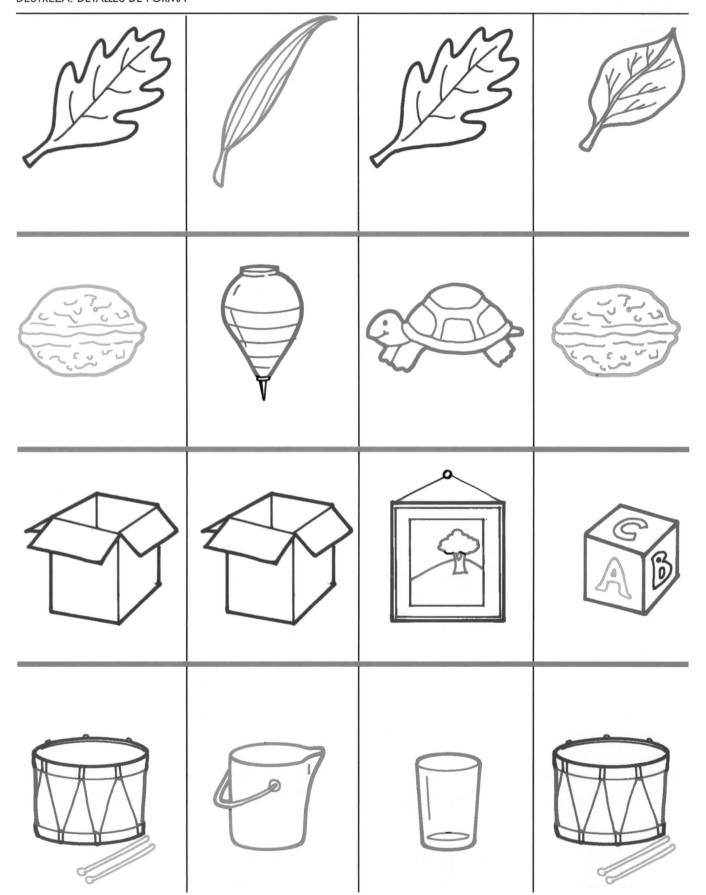

Marca con una X el dibujo que tiene la misma forma que el primero. Colorea o puntea.

DESTREZA: DETALLES DE FORMA

Marca con una X el dibujo que tiene la misma forma que el primero. Colorea o puntea.

DESTREZA: DETALLES DE FORMA

EVALUACION
Marca con una X el dibujo que tiene la misma forma que el primero. Colorea o puntea.
DESTREZA: DETALLES DE FORMA

Marca con una X los dibujos de tamaño diferente. Colorea o puntea.
DESTREZA: TAMAÑO

Marca con una X los dibujos de tamaño diferente. Colorea o puntea.
DESTREZA: TAMAÑO

Marca con una X los dibujos de tamaño diferente. Colorea o puntea.
DESTREZA: TAMAÑO

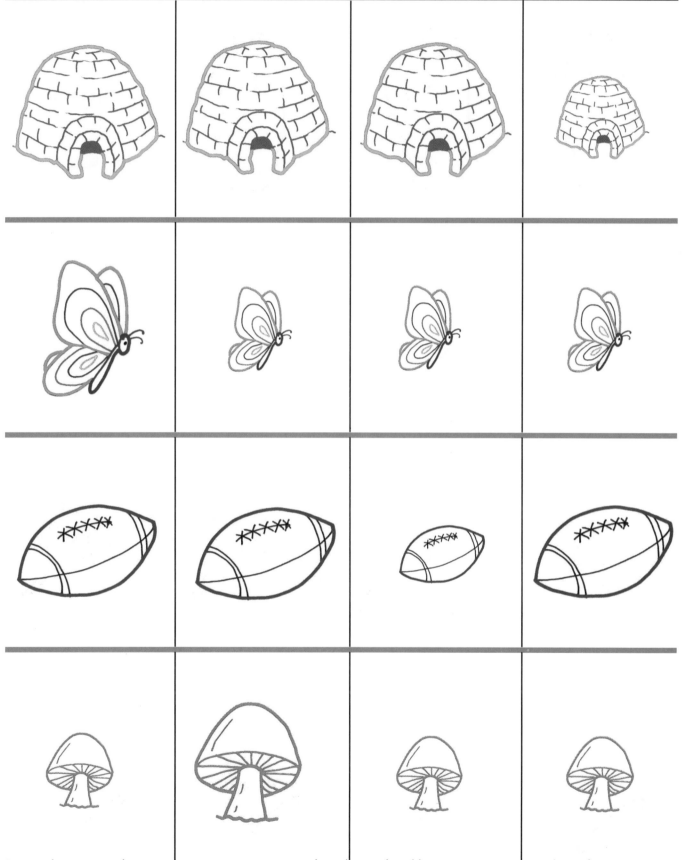

Recuerda que puedes usar tu propio criterio cuando colorees los dibujos y escoger tus colores favoritos.

Marca con una X los dibujos de tamaño diferente. Colorea o puntea.

DESTREZA: TAMAÑO

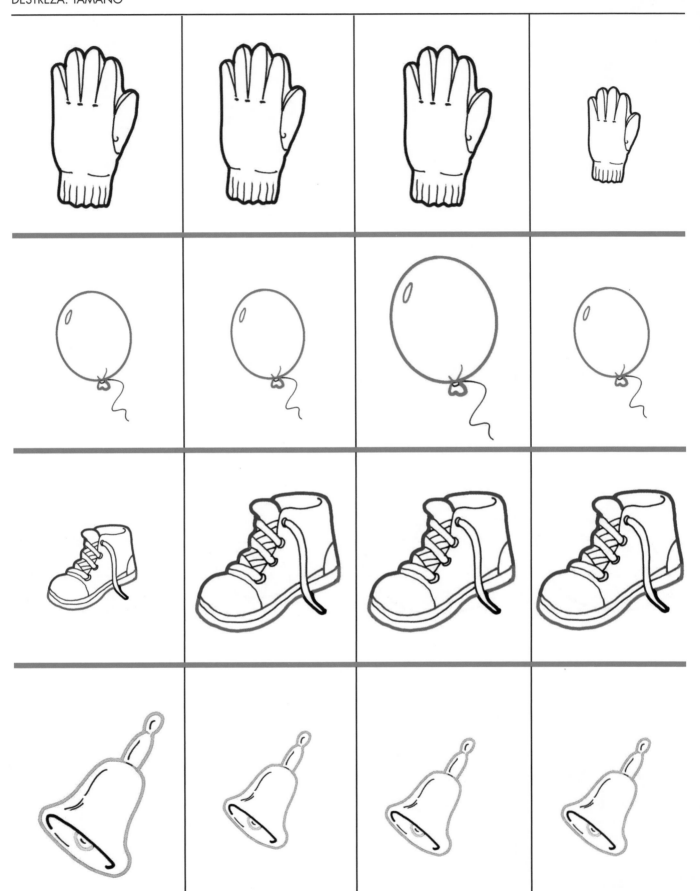

EVALUACION
Marca con una X los dibujos de tamaño diferente. Colorea o puntea.
DESTREZA: TAMAÑO

Colorea o puntea la mano derecha de color **amarillo**.
Colorea o puntea la mano izquierda de color **rojo**.
DESTREZA: DIRECCIÓN/IZQUIERDA-DERECHA

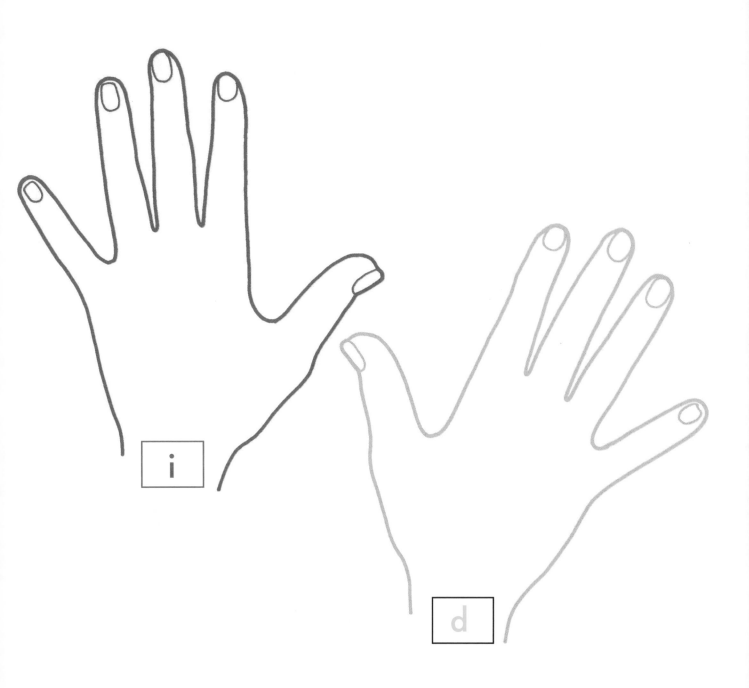

60

Colorea o puntea el pie derecho de color **verde**.
Colorea o puntea el pie izquierdo de color **azul**.
DESTREZA: DIRECCIÓN/IZQUIERDA-DERECHA

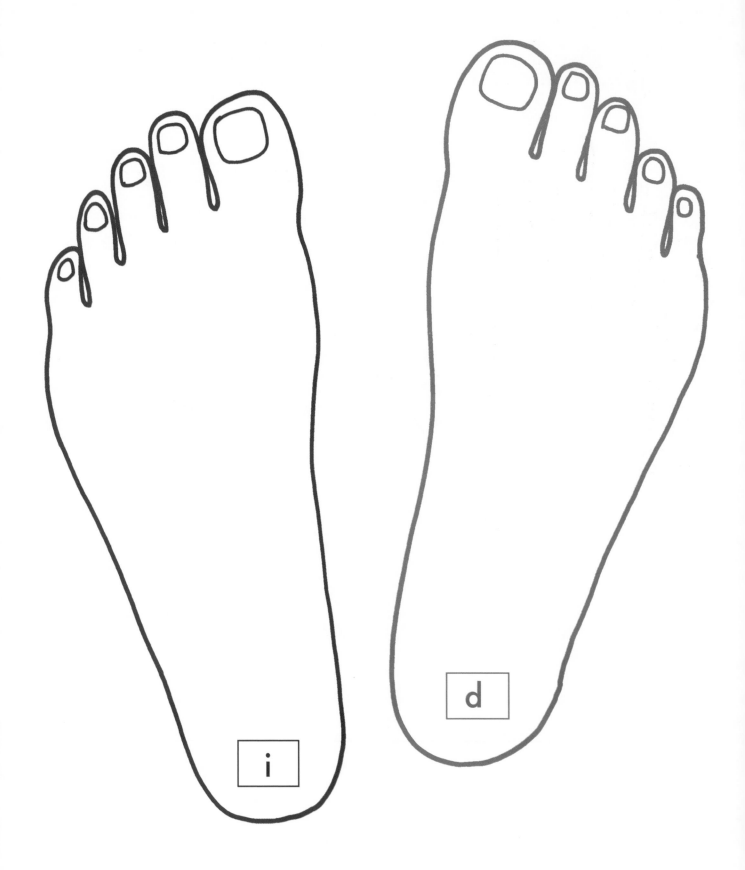

Colorea o puntea los peces que se dirigen hacia la izquierda de color **verde** y los que van hacia la derecha de color **anaranjado**.

DESTREZA: DIRECCIÓN/ IZQUIERDA-DERECHA

izquierda

derecha

62

Colorea los dibujos que se encuentran a la izquierda del camino.
DESTREZA: DIRECCIÓN

Marca con una X los dibujos que están en diferente dirección. Colorea o puntea.
DESTREZA: DIRECCIÓN

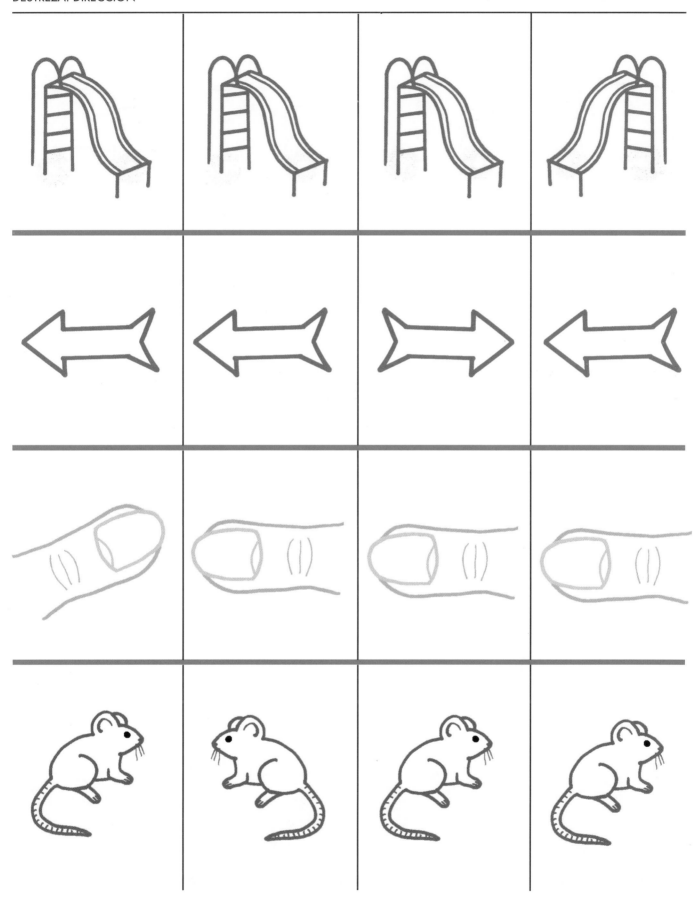

Marca con una X los dibujos que están en diferente dirección. Colorea o puntea.
DESTREZA: DIRECCIÓN

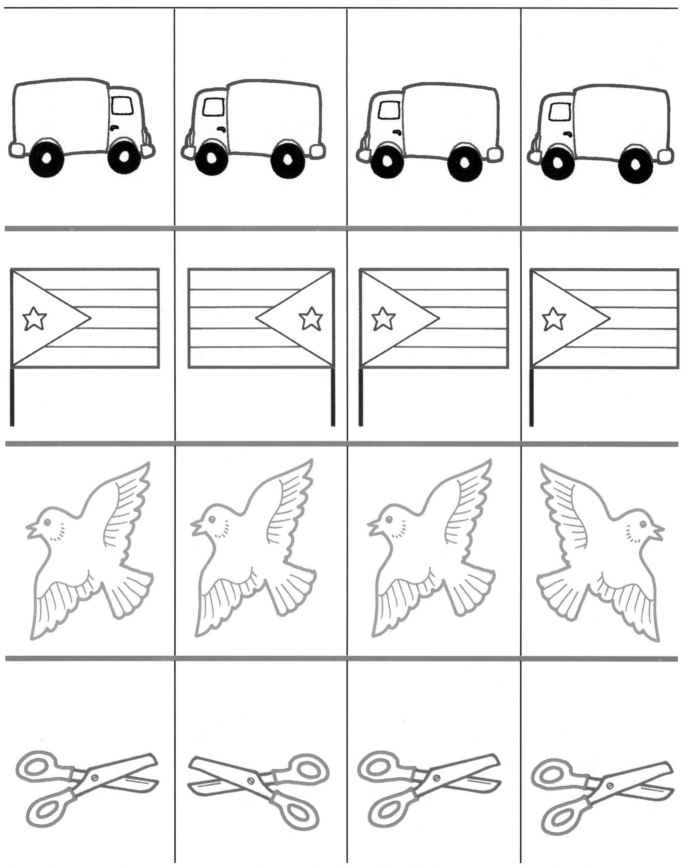

Recuerda que puedes usar tu propio criterio cuando colorees los dibujos y escoger tus colores favoritos.

Marca con una X los dibujos que están en diferente dirección.
DESTREZA: DIRECCIÓN

66

Marca con una X los dibujos que están en diferente dirección. Colorea o puntea.
DESTREZA: DIRECCIÓN

EVALUACION

Marca con una X los dibujos que están en diferente dirección. Colorea o puntea.

DESTREZA: DIRECCIÓN

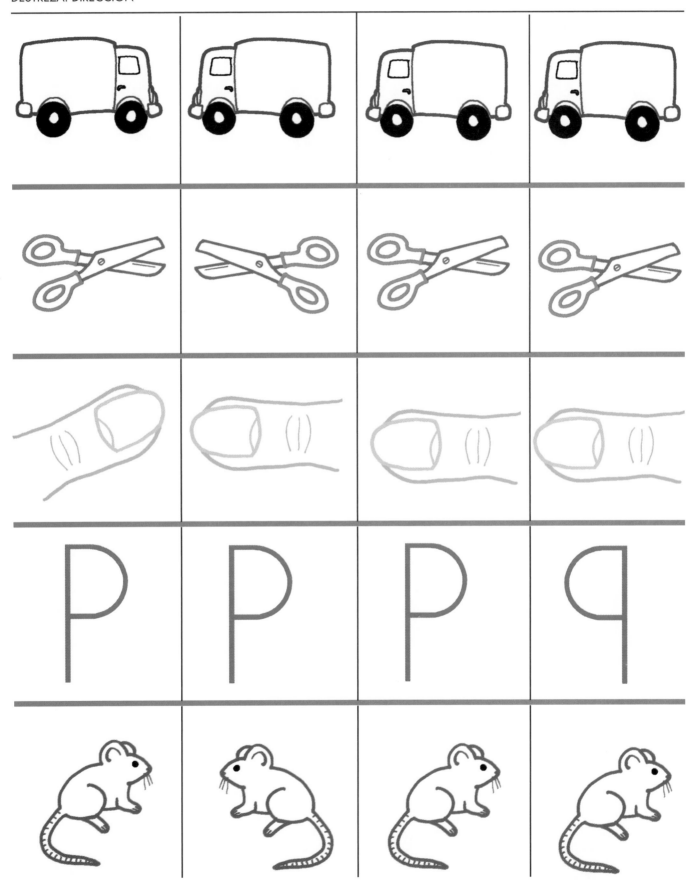

Marca con una X los dibujos que están en diferente posición. Colorea o puntea.
DESTREZA: POSICIÓN

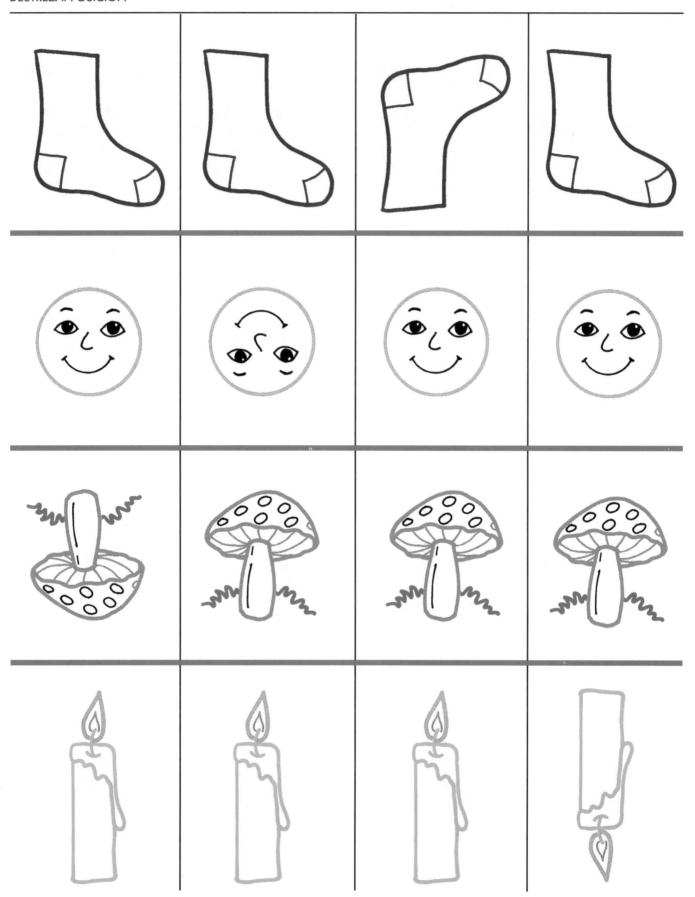

Marca con una X los dibujos que están en diferente posición. Colorea o puntea.
DESTREZA: POSICIÓN

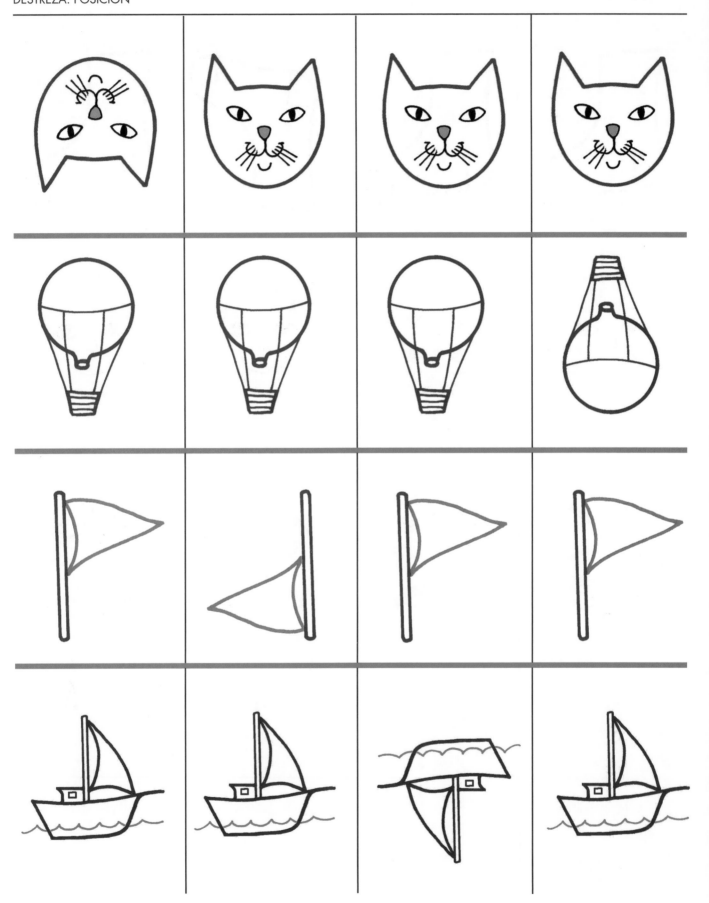

Marca con una X los dibujos que están en diferente posición. Colorea o puntea.
DESTREZA: POSICIÓN

Marca con una X los dibujos que están en diferente posición. Colorea o puntea.
DESTREZA: POSICIÓN

EVALUACION

Marca con una X los dibujos que están en diferente posición. Colorea o puntea.

DESTREZA: POSICIÓN

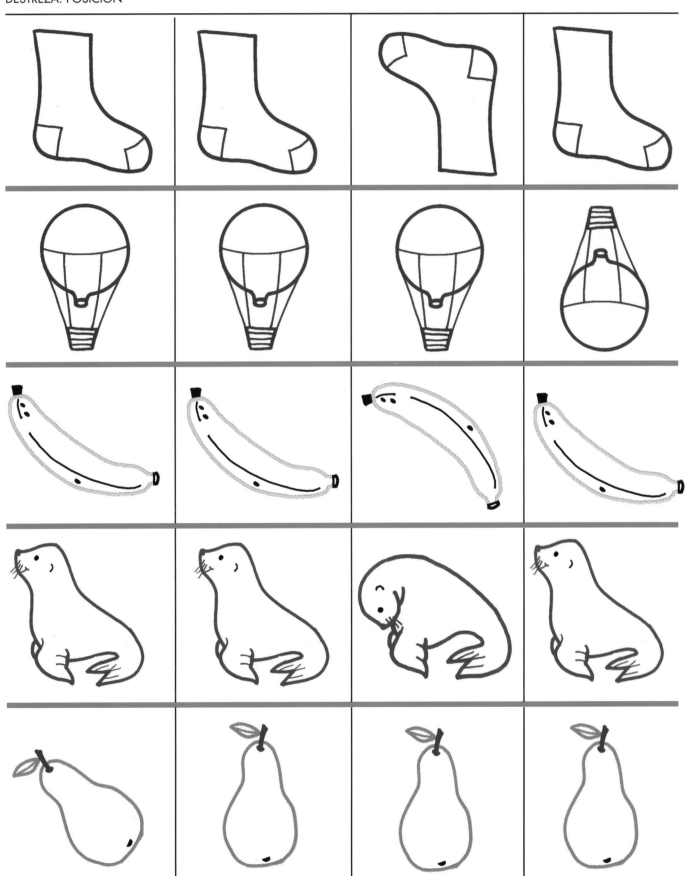

Marca con una X lo que está **antes** de: la campana, el dedo, el libro y el sol. Colorea o puntea.
DESTREZA: POSICIÓN

Recuerda que puedes usar tu propio criterio cuando colorees los dibujos y escoger tus colores favoritos.

Marca con una X lo que está antes de: el gato, la crayola, el cepillo y el pollito. Colorea o puntea.

DESTREZA: POSICIÓN

Marca con una X lo que está **después** de: el guineo, el canasto, la sombrilla y las estrellas.
Colorea o puntea.
DESTREZA: POSICIÓN

Marca con una X lo que está **después** de: la abeja, el teléfono, la ardilla y el pez. Colorea o puntea.
DESTREZA: POSICIÓN

EVALUACION

Marca con una X los dibujos que están:

DESTREZA: POSICIÓN

antes de la llave.

antes del sol.

después de la gallina.

antes de la muñeca.

después del teléfono.

Asocia los diferentes pares de zapatos. Colorea o puntea.
DESTREZA: ASOCIACIÓN

Asocia los diferentes dibujos. ¿Con qué va cada cosa? Colorea o puntea.

DESTREZA: ASOCIACIÓN

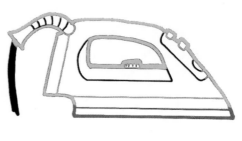

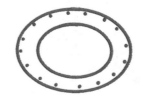

Asocia los diferentes dibujos con su correspondiente diminutivo. Colorea o puntea.
DESTREZA: ASOCIACIÓN

84

¿En qué parte del cuerpo se usa cada cosa? Colorea o puntea.
DESTREZA: ASOCIACIÓN

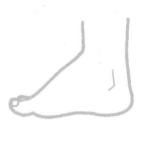

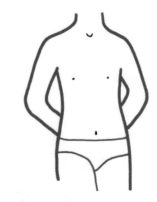

Asocia los dibujos con los significados opuestos. Colorea o puntea.
DESTREZA: ASOCIACIÓN

Recuerda que puedes usar tu propio criterio cuando colorees los dibujos y escoger tus colores favoritos.

¿A qué corresponde cada cosa? Colorea o puntea.
DESTREZA: ASOCIACIÓN

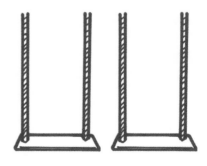

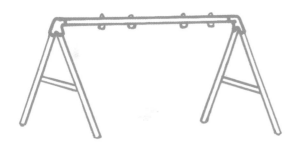

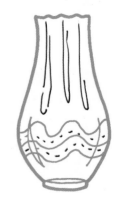

Traza una línea desde los dibujos de abajo que pueden estar en la sala. Colorea o puntea.
DESTREZA: ASOCIACIÓN

Traza una línea desde los dibujos de abajo que van en el bulto. Colorea o puntea.

DESTREZA: ASOCIACIÓN

EVALUACIÓN
Dirige cada animal a su casa. Colorea o puntea.
DESTREZA: ASOCIACIÓN

Marca con una X los dibujos correspondientes a viviendas de personas. Colorea o puntea.
DESTREZA: CLASIFICACIÓN

Colorea las prendas de vestir únicamente.

DESTREZA: CLASIFICACIÓN

Dirige las figuras al hueco del cubo que les corresponden. Colorea o puntea.
DESTREZA: CLASIFICACIÓN

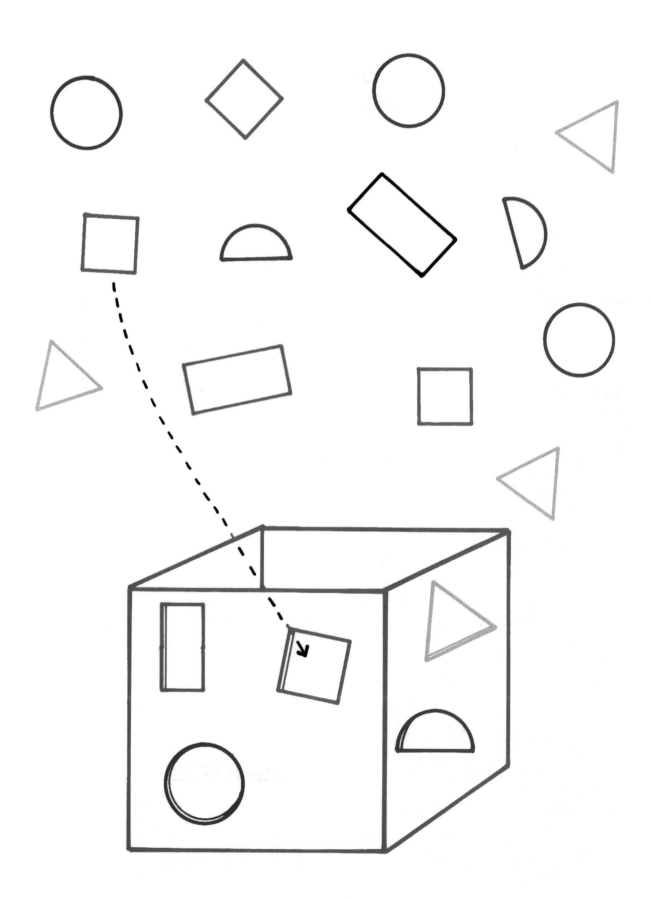

Lleva los juguetes al cajón y las frutas a la cesta. Colorea o puntea.
DESTREZA: CLASIFICACIÓN

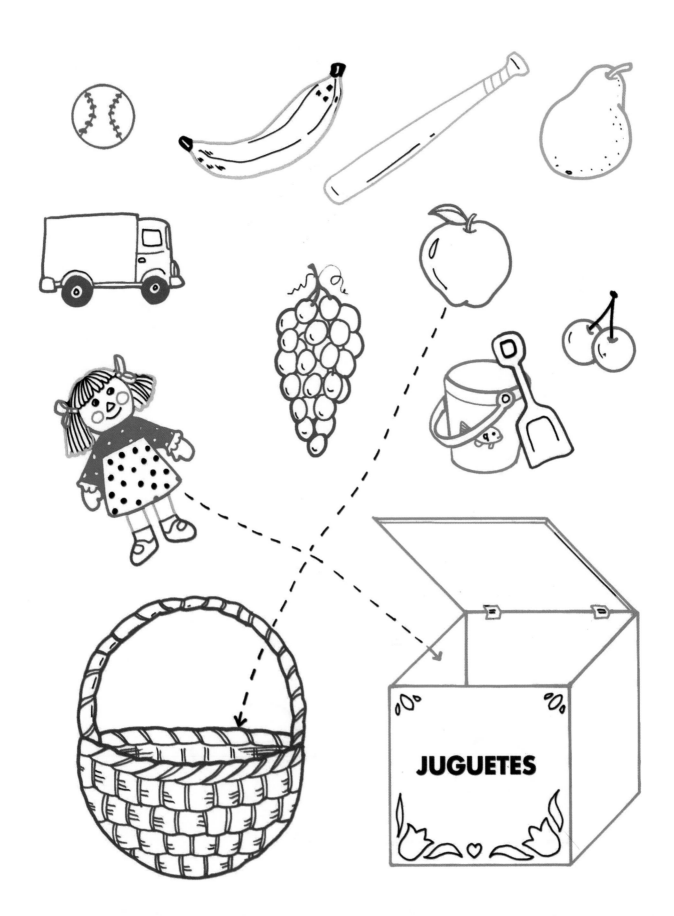

Encierra lo que no va en cada grupo. Colorea o puntea.
DESTREZA: CLASIFICACIÓN

Recuerda que puedes usar tu propio criterio cuando colorees los dibujos y escoger tus colores favoritos.

Colorea y encierra las cosas que van en la playa.

DESTREZA: CLASIFICACIÓN

Marca con una X el dibujo que no corresponde en cada grupo. ¿Puedes decir por qué?
Colorea o puntea.
DESTREZA: CLASIFICACIÓN

Marca con una X el medio de transportación que no corresponde en cada grupo.
Explica por qué no corresponde. Colorea o puntea.
DESTREZA: CLASIFICACIÓN

EVALUACIÓN

Marca con una X el dibujo que no corresponde en cada grupo. ¿Puedes decir por qué?
Colorea o puntea.

DESTREZA: CLASIFICACIÓN

100

Marca con una X el grupo que es igual al primer dibujo. Colorea o puntea.
DESTREZA: ORDEN

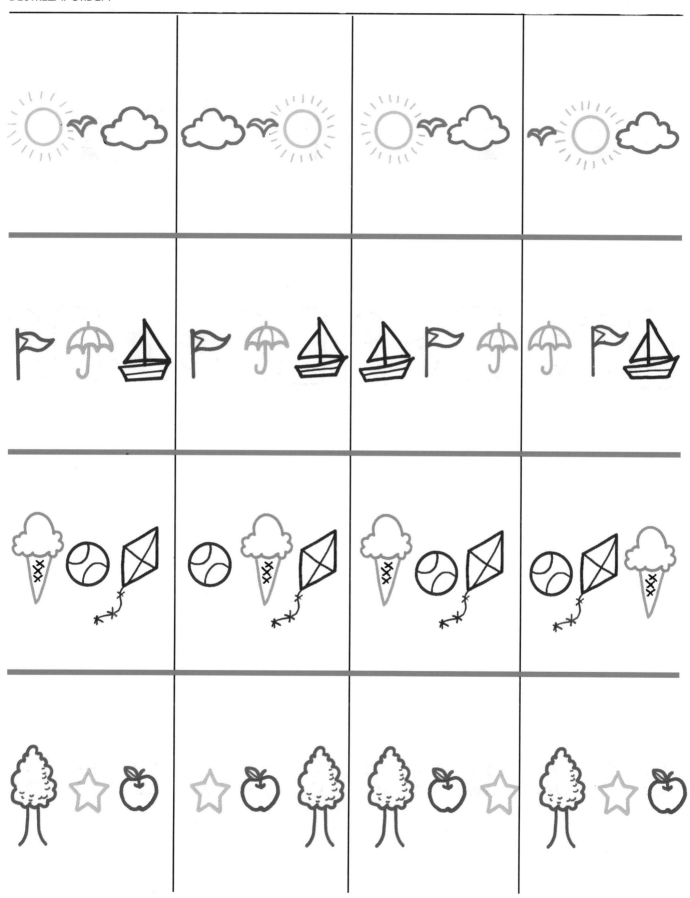

Marca con una X el grupo que es igual al primer dibujo. Colorea o puntea.

DESTREZA: ORDEN

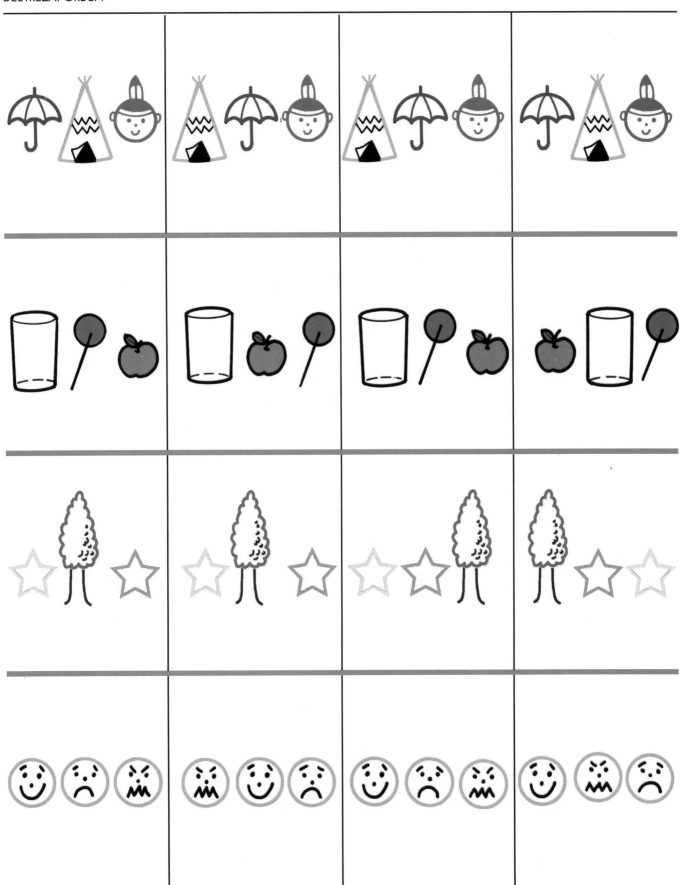

Marca con una X el grupo que es igual al primer dibujo. Colorea o puntea.
DESTREZA: ORDEN

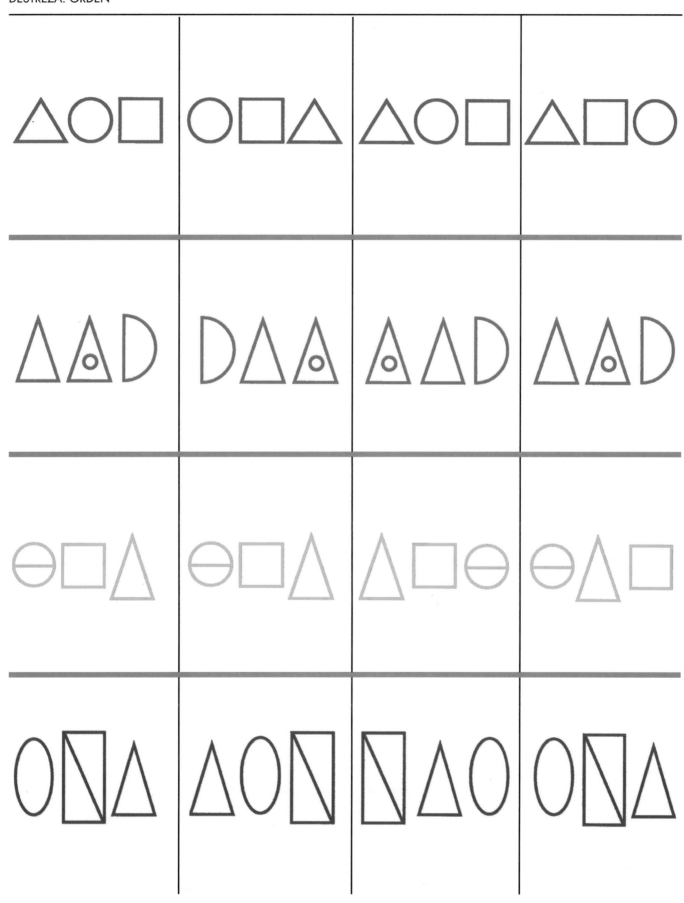

Marca con una X el grupo que es igual al primer dibujo. Colorea o puntea.
DESTREZA: ORDEN

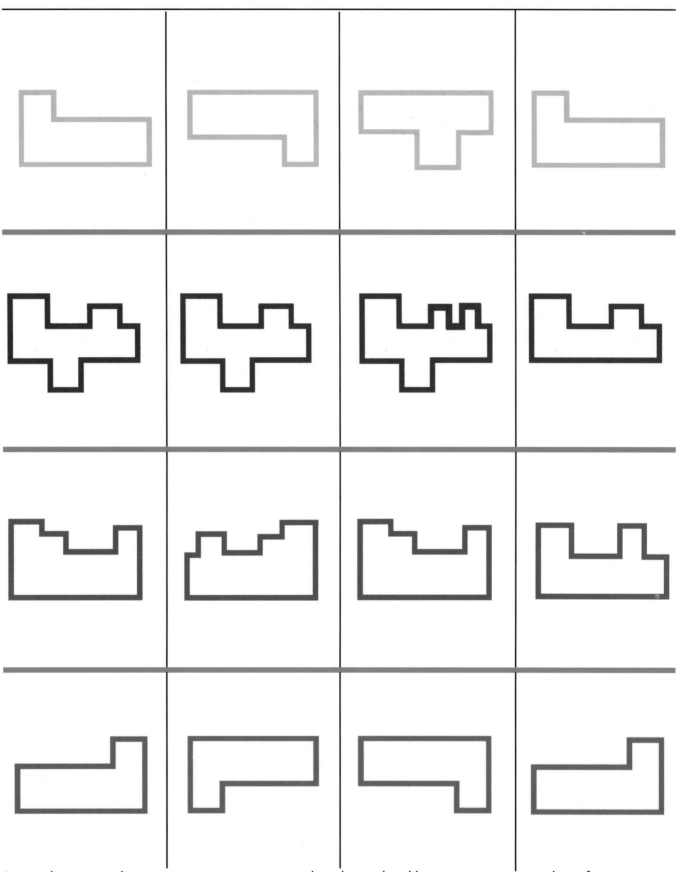

Recuerda que puedes usar tu propio criterio cuando colorees los dibujos y escoger tus colores favoritos.

Marca con una X el grupo de letras que es igual al primero.
DESTREZA: ORDEN

aeu	uea	aeu	eua
boo	boo	oob	obo
dpi	ipd	dip	dpi
upa	pua	upa	apu

Marca con una X la palabra que es igual a la primera.
DESTREZA: ORDEN

mamá	papá	mamá	Tito
Tito	Tito	papá	mamá
papá	Rosa	Mota	papá
Rosa	Mota	Rosa	mamá

EVALUACIÓN

Marca con una X el grupo que es igual al primer dibujo. Colorea o puntea.

DESTREZA: CLASIFICACIÓN

boo boo oob obo

Encierra el dibujo a la derecha que continuará el patrón. Colorea o puntea.
DESTREZA: PATRONES

Encierra el dibujo a la derecha que continuará el patrón. Colorea o puntea.

DESTREZA: PATRONES

Encierra el dibujo a la derecha que continuará el patrón. Colorea o puntea.
DESTREZA: PATRONES

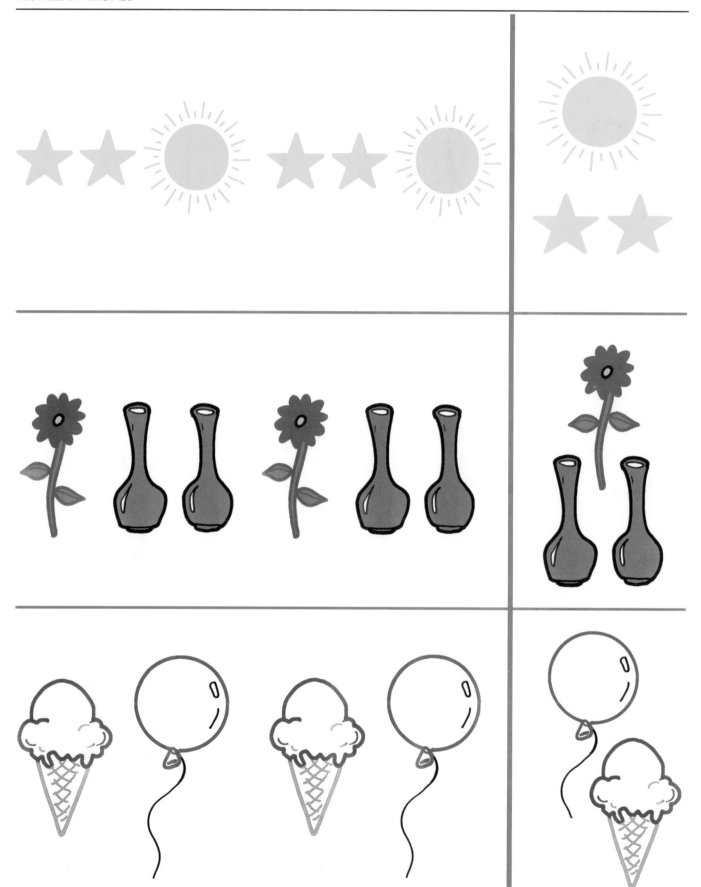

Encierra el dibujo a la derecha que continuará el patrón.
DESTREZA: PATRONES

m a m	a m
p a p	p a
t i t	i t

EVALUACIÓN
Encierra el dibujo a la derecha que continuará el patrón. Colorea o puntea.
DESTREZA: PATRONES

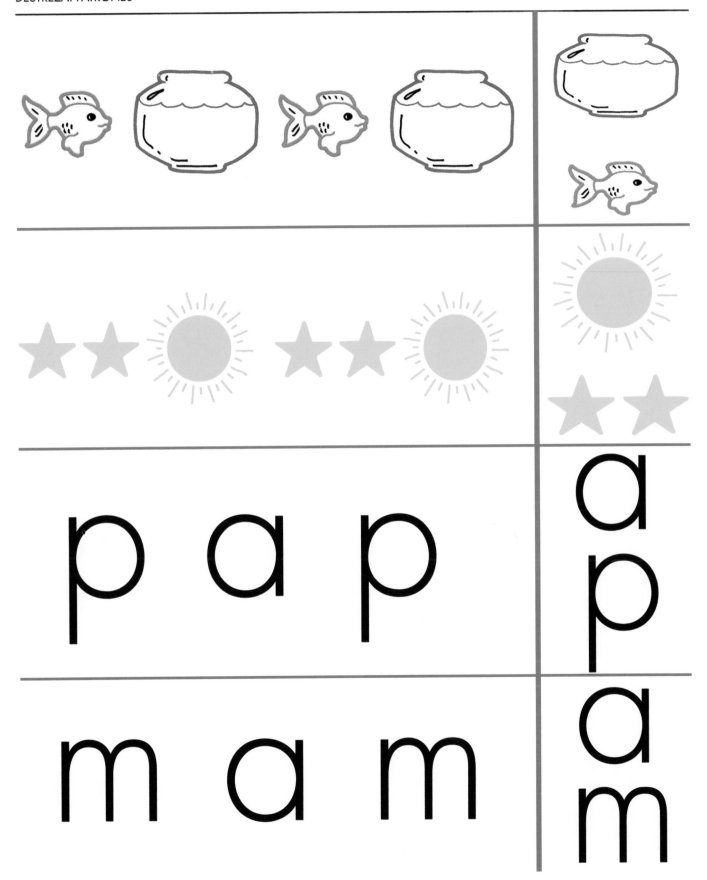

Recorta los cuatro dibujos y pégalos en la página siguiente en el orden correcto.
DESTREZA: ORDEN DE SUCESOS

Pega aquí los dibujos que recortaste en la página anterior en el orden correcto.
DESTREZA: ORDEN DE SUCESOS

Recorta los cuatro dibujos y pégalos en la página siguiente en el orden correcto.
DESTREZA: ORDEN DE SUCESOS

Pega aquí los dibujos que recortaste en la página anterior en el orden correcto.
DESTREZA: ORDEN DE SUCESOS

Recorta los cuatro dibujos y pégalos en la página siguiente en el orden correcto.
DESTREZA: ORDEN DE SUCESOS

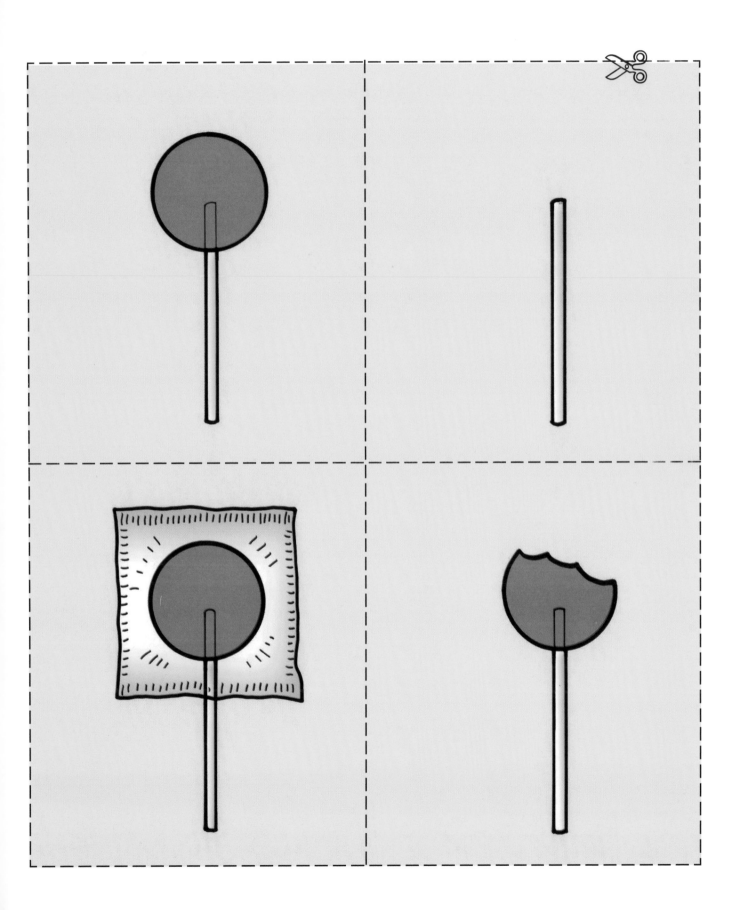

Pega aquí los dibujos que recortaste en la página anterior en el orden correcto.
DESTREZA: ORDEN DE SUCESOS

Recorta los cuatro dibujos y pégalos en la página siguiente en el orden correcto.
DESTREZA: ORDEN DE SUCESOS

Pega aquí los dibujos que recortaste en la página anterior en el orden correcto.
DESTREZA: ORDEN DE SUCESOS

¿Qué sucedió después? Termina la historia.
DESTREZA: ORDEN

Colorea o puntea la lámina y repite la rima.
DESTREZA: RIMA

Aquí llevo este martillo
a mi amigo Manuelillo
y también le llevaré
de merienda un panecillo.

Colorea o puntea los dibujos. Repite sus nombres. ¡Qué bonito riman!
DESTREZA: RIMA

tornillo

pepinillo

martillo

cepillo

rastrillo

Escribe 3 palabras que riman con cep**illo.**

_____ _____ _____

Busca los dibujos cuyos nombres riman con el que está en el centro. Colorea o puntea.
DESTREZA: RIMA

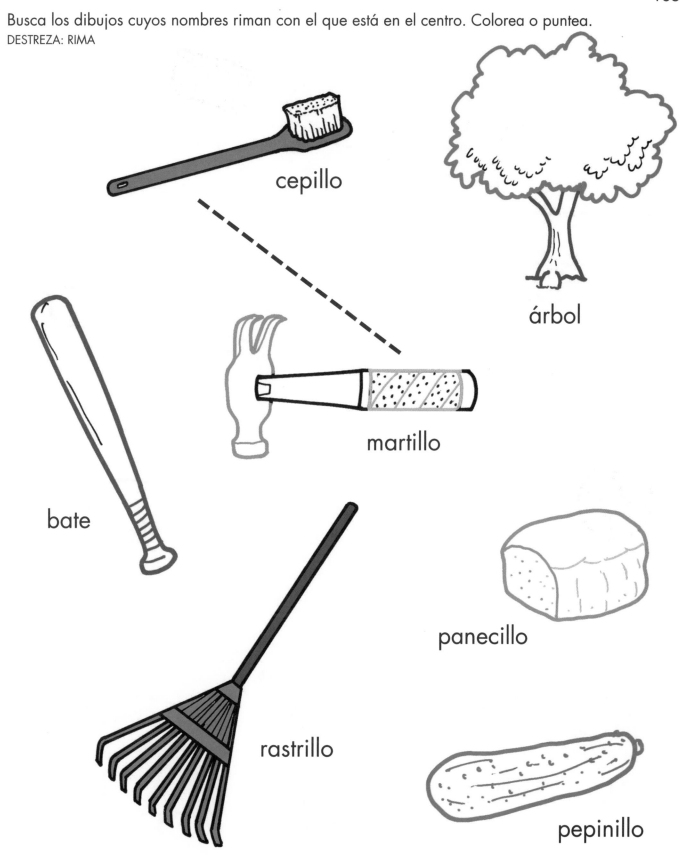

cepillo

árbol

bate

martillo

panecillo

rastrillo

pepinillo

Recuerda que puedes usar tu propio criterio cuando colorees los dibujos y escoger tus colores favoritos.

136

Encierra y colorea los dibujos que riman con:
DESTREZA: RIMA

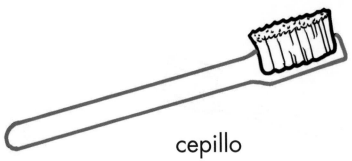

cepillo

pepinillo

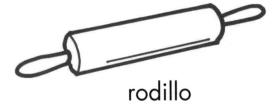

rodillo

estrella

panecillo

bola

martillo

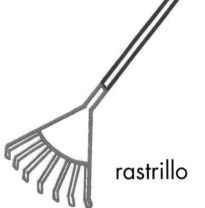

rastrillo

conejo

Colorea a Milla y su sombrilla.
DESTREZA: RIMA

Milla tiene
    una sombrilla
bien bonita
    y amarilla.
Cada vez que
    la va a abrir
se le pilla
    un dedo a Milla.

Colorea los dibujos. Repite sus nombres y escucha como riman.
DESTREZA: RIMA

barqu<u>illa</u>

s<u>illa</u>

sombr<u>illa</u>

pres<u>illa</u>

ligu<u>illa</u>

past<u>illa</u>

ard<u>illa</u>

bomb<u>illa</u>

Escribe 3 palabras que riman con s<u>illa.</u>

_____   _____   _____

Encierra y colorea los dibujos que riman con:
DESTREZA: RIMA

barquilla

Milla

gato

cubo

bombilla

sombrilla

sol

regla

silla

Busca los dibujos cuyos nombres rimen con el que está en el centro. Colorea.
DESTREZA:RIMA

gato

bombilla

pastilla

silla

zafacón

sol

barquilla

Marca con una X el dibujo cuyo nombre rime con el primero a la izquierda.
DESTREZA:RIMA

cepillo	flor	pepinillo	vaso
barquilla	peinilla	corazón	bola
martillo	árbol	estrella	rastrillo
silla	botón	pastilla	taza

Colorea o puntea los dibujos y repite la rima.
DESTREZA:RIMA

Ve y sacude ese florero
con este lindo plumero,
y las flores me las traes,
las pondré en mi sombrero.

Colorea o puntea los dibujos y repite sus nombres. ¿Verdad que riman?
DESTREZA:RIMA

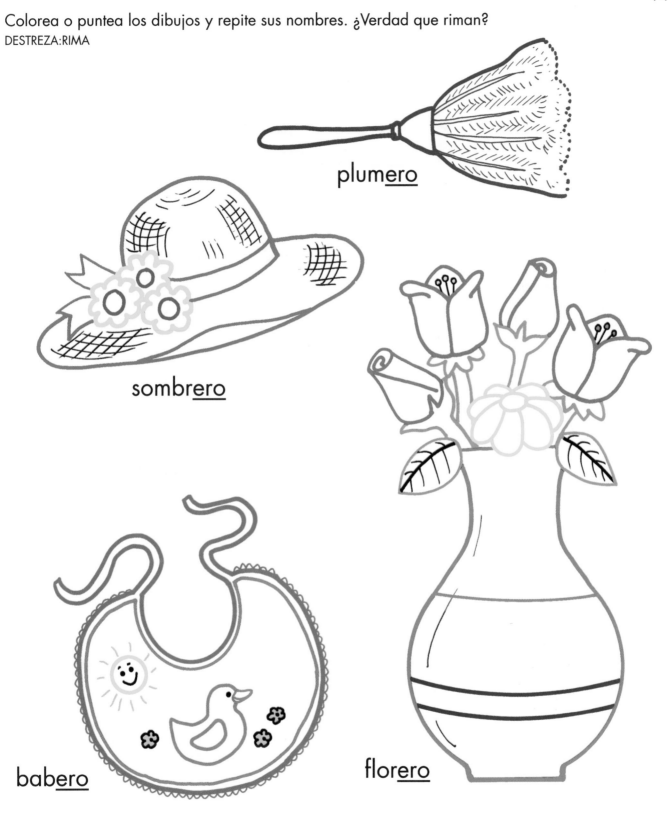

plum<u>ero</u>

sombr<u>ero</u>

flor<u>ero</u>

bab<u>ero</u>

Escribe 3 palabras que riman con plum<u>ero.</u>

_____   _____   _____

144

Encierra y colorea los dibujos que riman con:
DESTREZA: RIMA

sombrero

cartera

pelotero

florero

manzana

plumero

presilla

babero

Busca los dibujos cuyos nombres rimen con el que está en el centro. Colorea o puntea.
DESTREZA:RIMA

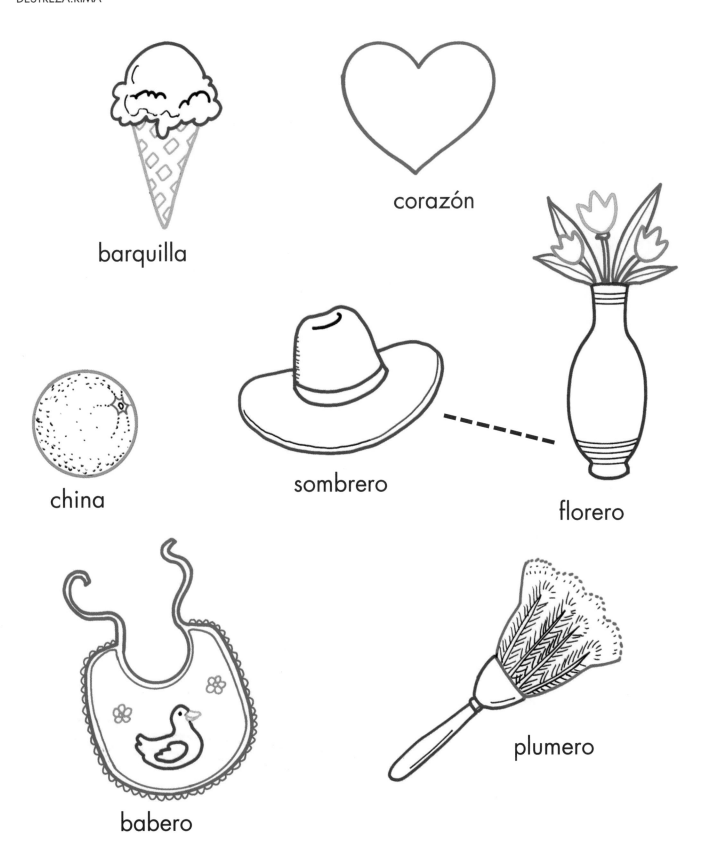

barquilla

corazón

china

sombrero

florero

babero

plumero

Recuerda que puedes usar tu propio criterio cuando colorees los dibujos y escoger tus colores favoritos.

Colorea los dibujos y repite sus nombres. ¿Oyes cómo riman?
DESTREZA:RIMA

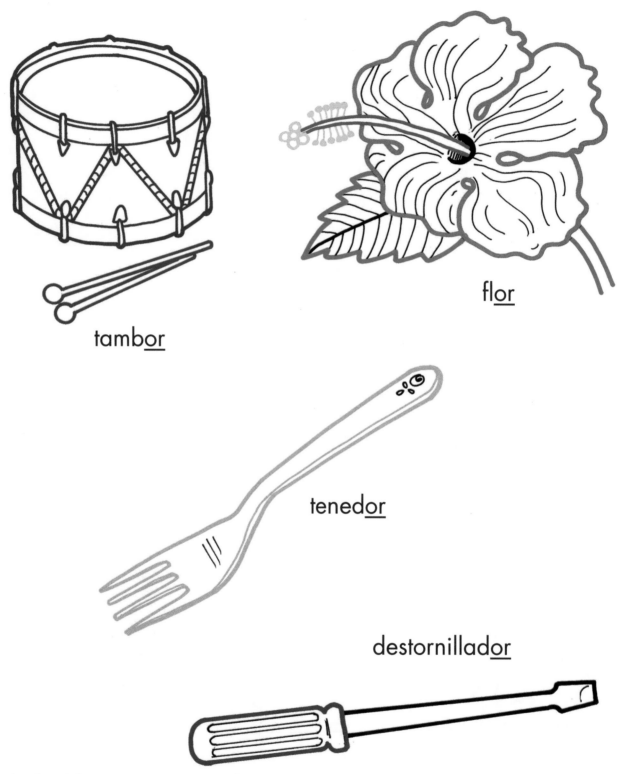

tamb<u>or</u>

fl<u>or</u>

tened<u>or</u>

destornillad<u>or</u>

Escribe 3 palabras que riman con tamb<u>or.</u>

_____   _____   _____

Busca los dibujos cuyos nombres rimen con el que está en el centro. Colorea o puntea.
DESTREZA:RIMA

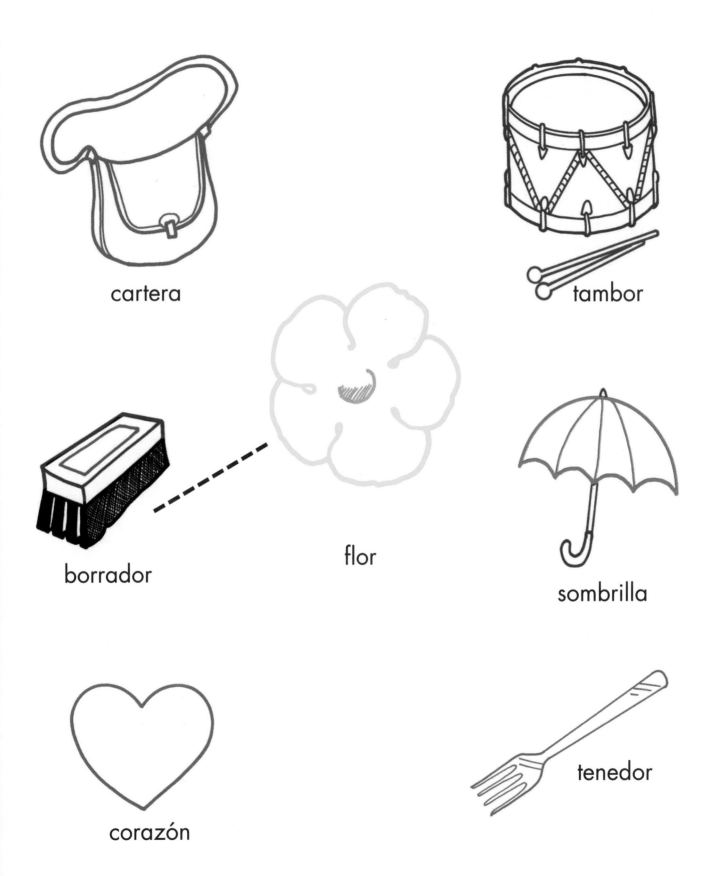

cartera

tambor

borrador

flor

sombrilla

corazón

tenedor

Marca con una X el dibujo cuyo nombre rime con el primero a la izquierda. Colorea o puntea.
DESTREZA:RIMA

sombrero	china	babero	sol
tambor	borrador	botón	corazones
florero	flor	barquilla	plumero
tenedor	manzana	flor	peinilla

Encierra y colorea los dibujos que riman con:
DESTREZA:RIMA

flor

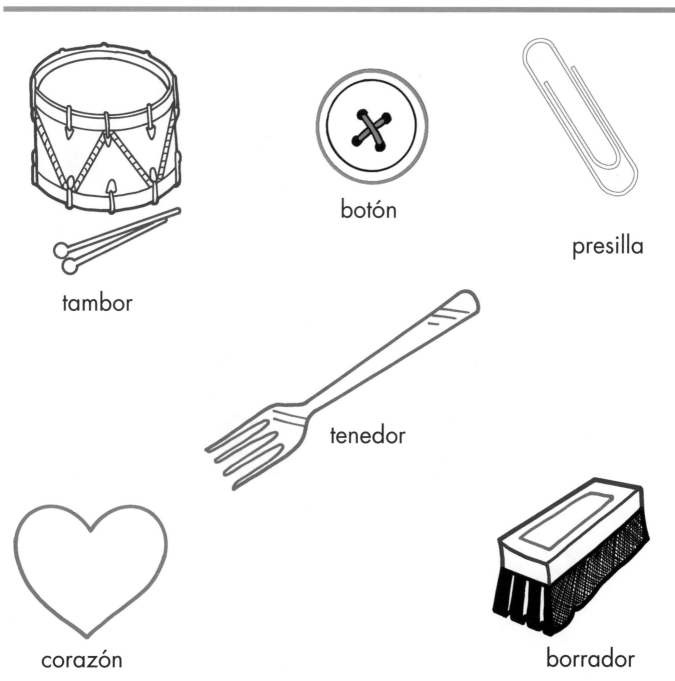

tambor

botón

presilla

tenedor

corazón

borrador

Colorea o puntea el dibujo y repite la rima.
DESTREZA:RIMA

Por allí pasó un ratón
era grande y cabezón
seguro que iba huyendo
del gatazo Zapirón.

Colorea los dibujos y repite sus nombres. ¿Verdad que riman?
DESTREZA:RIMA

coraz<u>ón</u>

pantal<u>ón</u>

avi<u>ón</u>

zafac<u>ón</u>

bot<u>ón</u>

rat<u>ón</u>

Escribe 3 palabras que riman con rat<u>ón.</u>

_____ _____ _____

Encierra y colorea los dibujos que riman con:
DESTREZA:RIMA

corazón

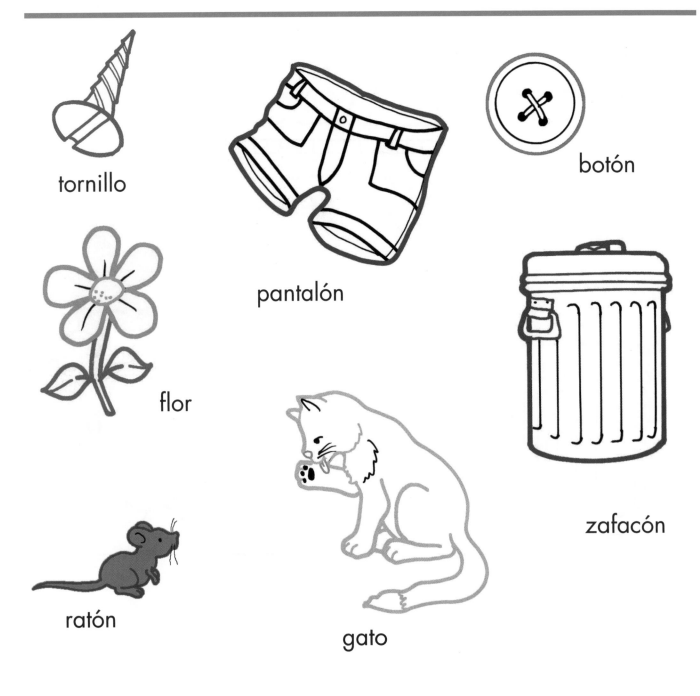

tornillo

botón

flor

pantalón

zafacón

ratón

gato

Busca los dibujos cuyos nombres rimen con el que está en el centro. Colorea o puntea.
DESTREZA:RIMA

ratón

sombrilla

tornillo

taza

corazón

zafacón

pantalón

avión

Recuerda que puedes usar tu propio criterio cuando colorees los dibujos y escoger tus colores favoritos.

154

Colorea o puntea el dibujo y repite la rima.
DESTREZA:RIMA

¡Qué bonita es mi bandera
en lo alto de la escuela!
Para llegar hasta ella
necesito una escalera.

Colorea los dibujos y repite sus nombres. ¿Verdad que riman?
DESTREZA:RIMA

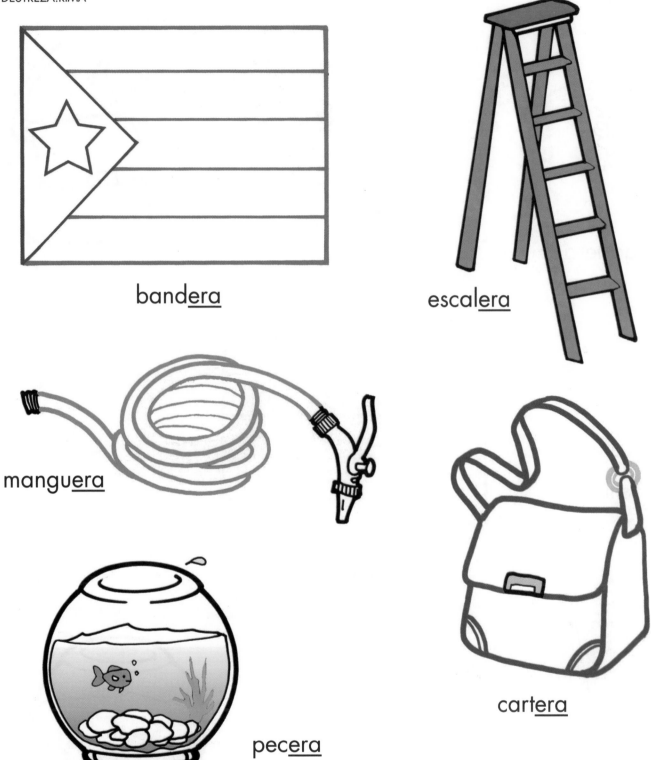

bandera

escalera

manguera

cartera

pecera

Escribe 3 palabras que riman con bandera.

_____ _____ _____

156

Busca los dibujos cuyos nombres rimen con el que está en el centro. Colorea o puntea.
DESTREZA:RIMA

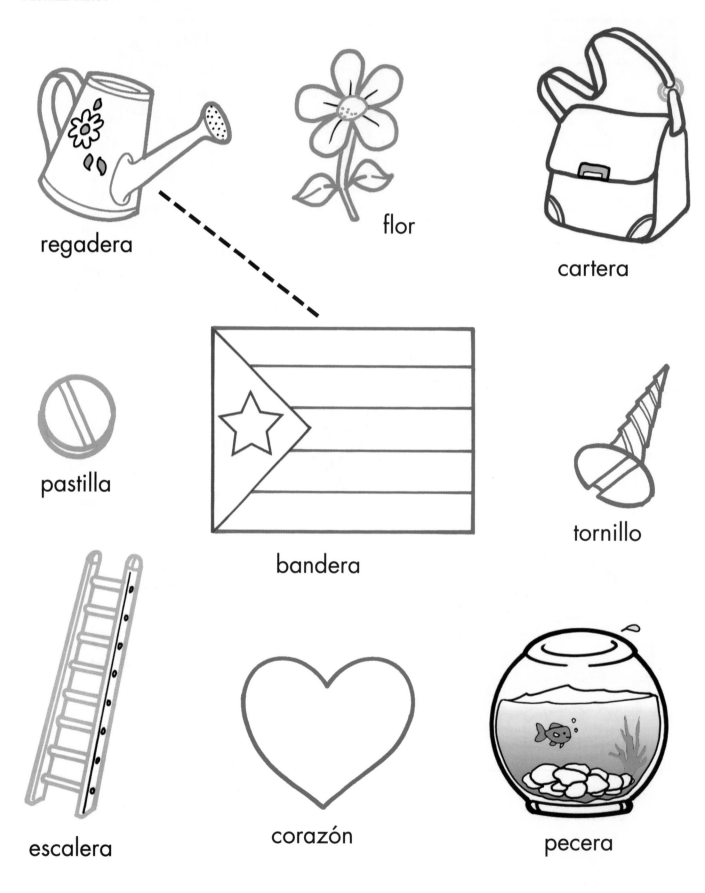

regadera

flor

cartera

pastilla

bandera

tornillo

escalera

corazón

pecera

Encierra y colorea los dibujos que riman con:
DESTREZA:RIMA

pecera

aves

estrella

regadera

gorra

bandera

escalera

cartera

libro

Colorea o puntea el dibujo y repite la rima.
DESTREZA:RIMA

La abuela trajo un cojín

la tía trajo un botín

cada cual le trajo algo

al bebito de Carmín.

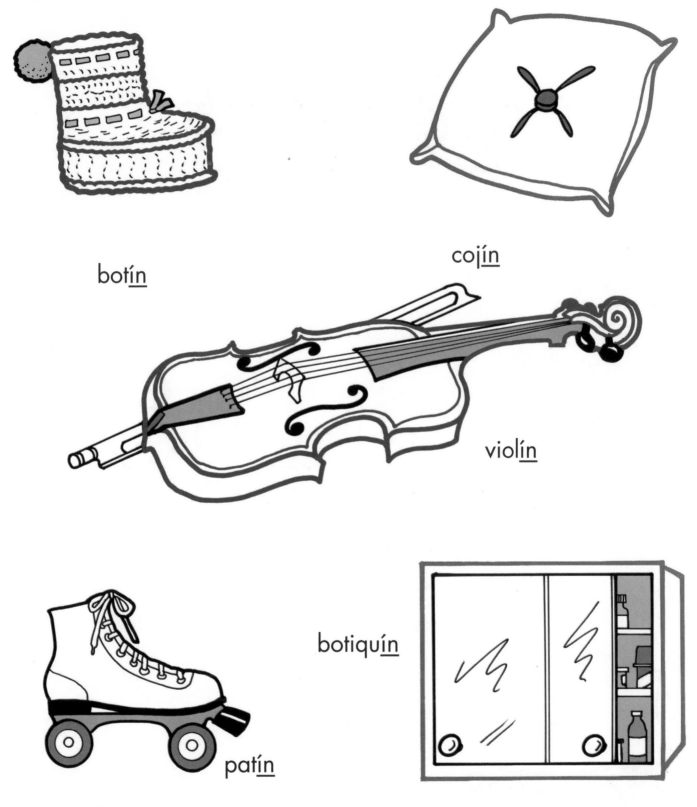

Colorea los dibujos y repite sus nombres. ¿Oyes como riman?
DESTREZA:RIMA

botín

cojín

violín

patín

botiquín

Escribe 3 palabras que riman con vio<u>lín</u>.

_____ _____ _____

Encierra y colorea los dibujos que riman con:
DESTREZA:RIMA

violín

botín

tenedor

Carmín

cojín

patín

bandera

china

Busca los dibujos cuyos nombres rimen con el que está en el centro. Colorea o puntea.
DESTREZA:RIMA

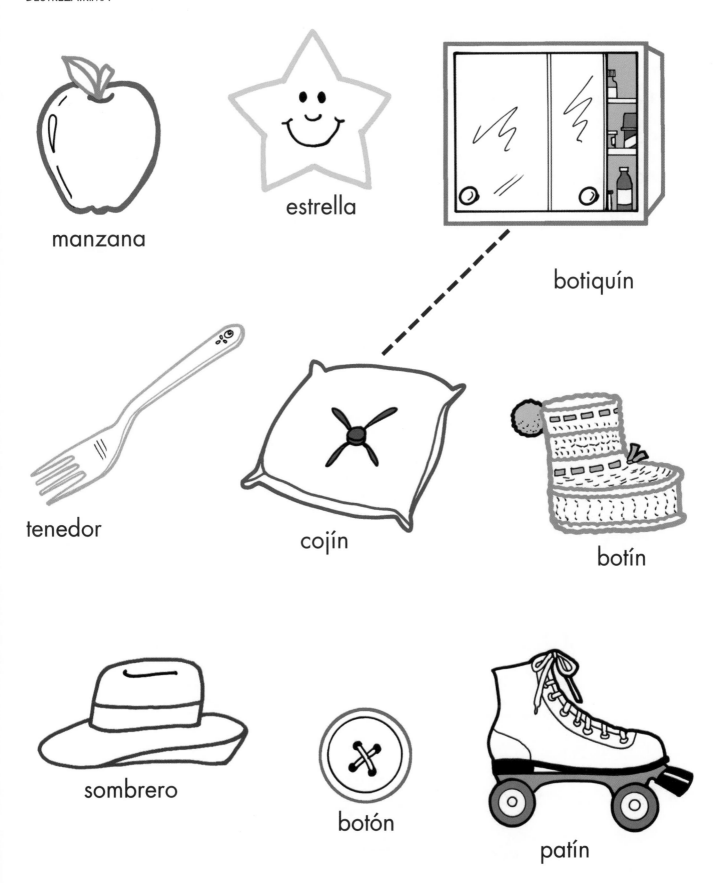

manzana

estrella

botiquín

tenedor

cojín

botín

sombrero

botón

patín

Colorea o puntea el dibujo y repite la rima.
DESTREZA:RIMA

Se quiere librar del sol
este lindo caracol
y sólo encuentra refugio
debajo de una gran col.

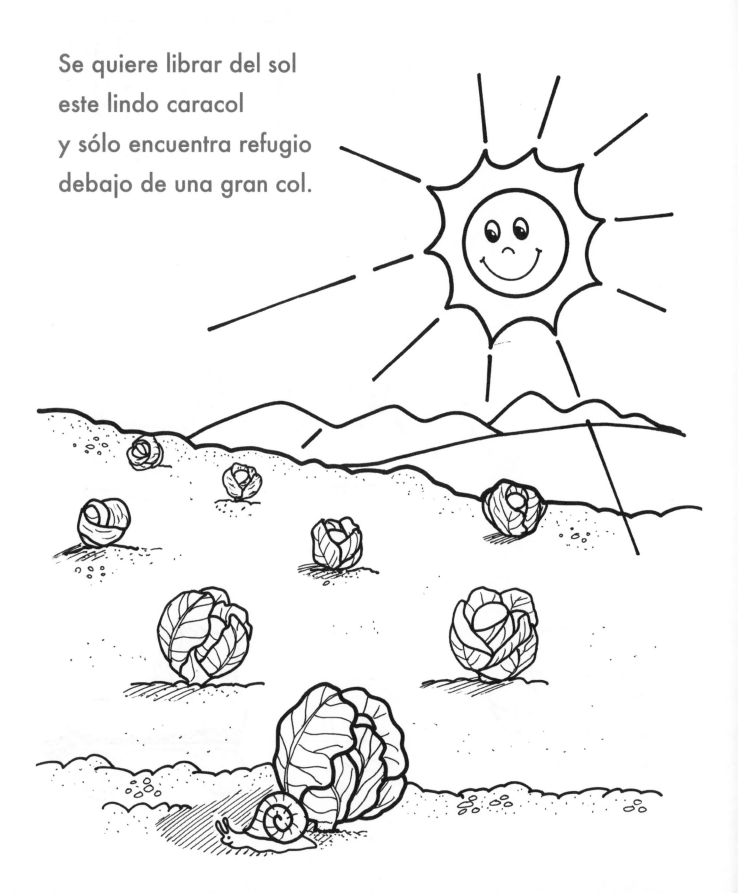

Colorea o puntea los dibujos y repite sus nombres. ¿Verdad que riman?
DESTREZA:RIMA

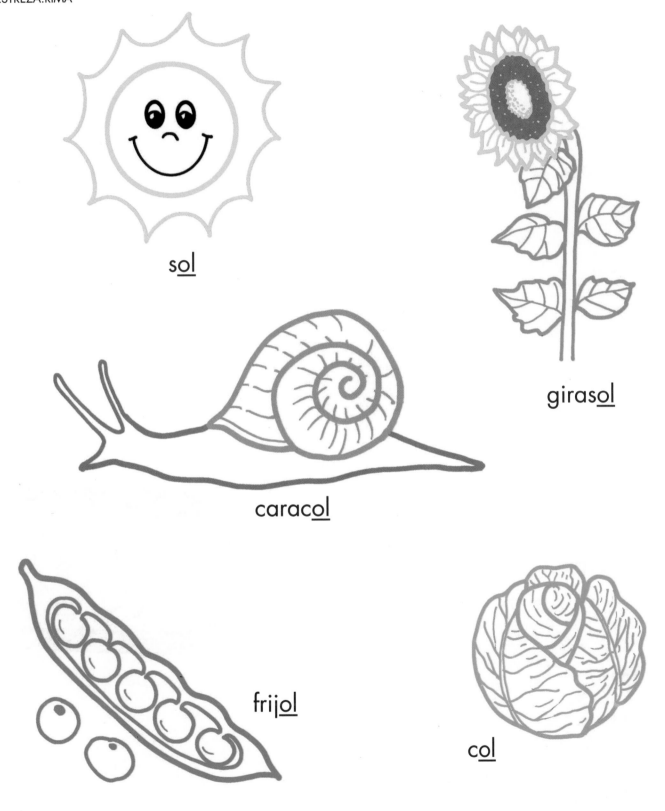

s<u>ol</u>

giras<u>ol</u>

carac<u>ol</u>

frij<u>ol</u>

c<u>ol</u>

Escribe 3 palabras que riman con carac<u>ol.</u>

_____   _____   _____

164

Busca los dibujos cuyos nombres rimen con el que está en el centro. Colorea o puntea.

DESTREZA:RIMA

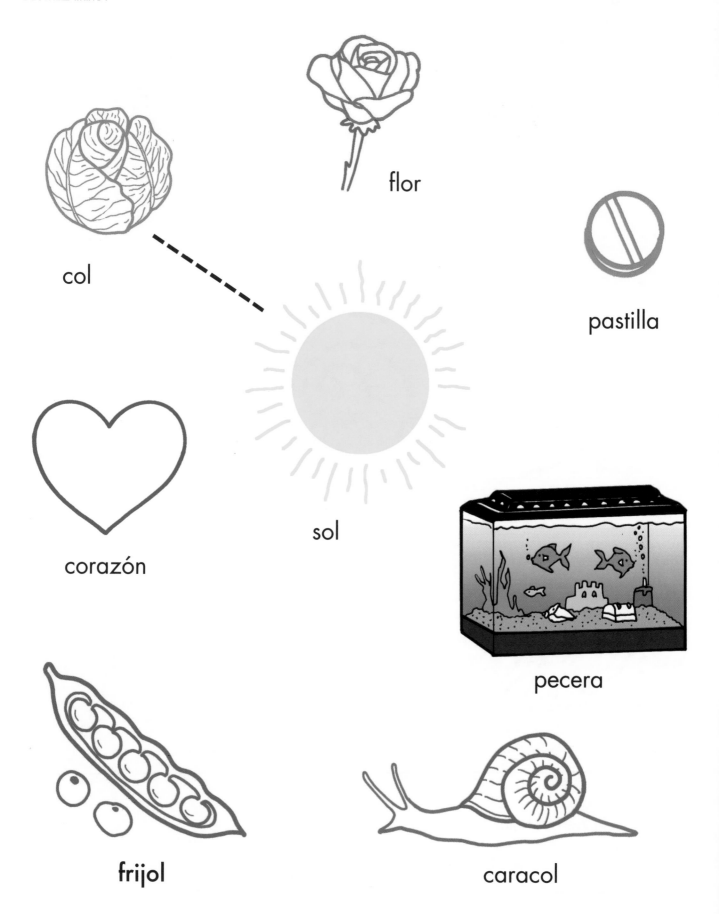

flor

col

pastilla

corazón

sol

pecera

frijol

caracol

Encierra y colorea los dibujos que riman con:
DESTREZA:RIMA

caracol

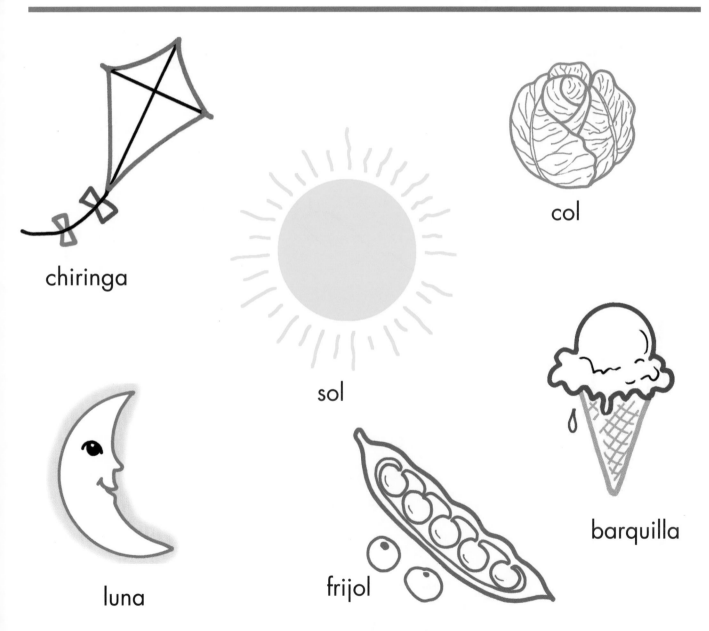

chiringa

col

sol

luna

frijol

barquilla

Recuerda que puedes usar tu propio criterio cuando colorees los dibujos y escoger tus colores favoritos.

Colorea el dibujo y repite la rima.
DESTREZA:RIMA

El pajarito
canta en la rama,
lo oye la dama
que está en la cama.

Colorea los dibujos y repite sus nombres. ¿Verdad que riman?
DESTREZA:RIMA

<u>r</u><u>ama</u>

<u>L</u><u>ama</u>

<u>d</u><u>ama</u>

<u>c</u><u>ama</u>

Escribe 3 palabras que riman con d<u>ama.</u>

_____   _____   _____

168

Busca los dibujos cuyos nombres rimen con el que está en el centro. Colorea o puntea.
DESTREZA:RIMA

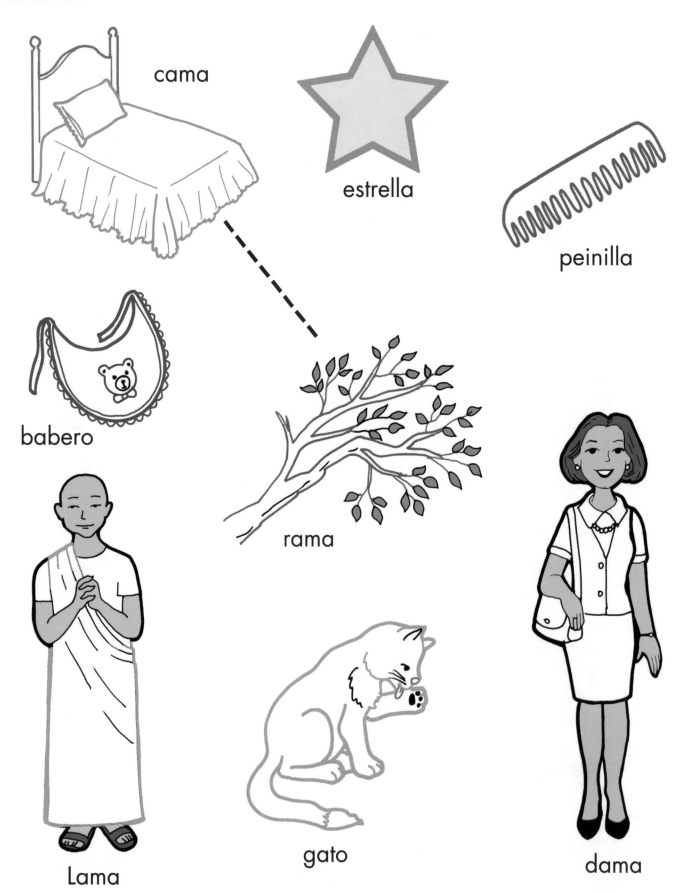

cama

estrella

peinilla

babero

rama

Lama

gato

dama

Encierra y colorea los dibujos que riman con:
DESTREZA:RIMA

cama

árbol

sombrero

rama

Lama

peinilla

dama

Colorea o puntea el dibujo y repite la rima.
DESTREZA:RIMA

Tato tiene un gato.

Tato tiene un pato.

Tato también tiene,

un perrito sato.

Colorea o puntea los dibujos y repite sus nombres. ¿Verdad que riman?
DESTREZA:RIMA

pato

sato

plato

Tato

gato

Escribe 3 palabras que riman con Tato.

_____   _____   _____

172

Busca los dibujos cuyos nombres rimen con el que está en el centro.
Colorea los que no estén coloreados.
DESTREZA:RIMA

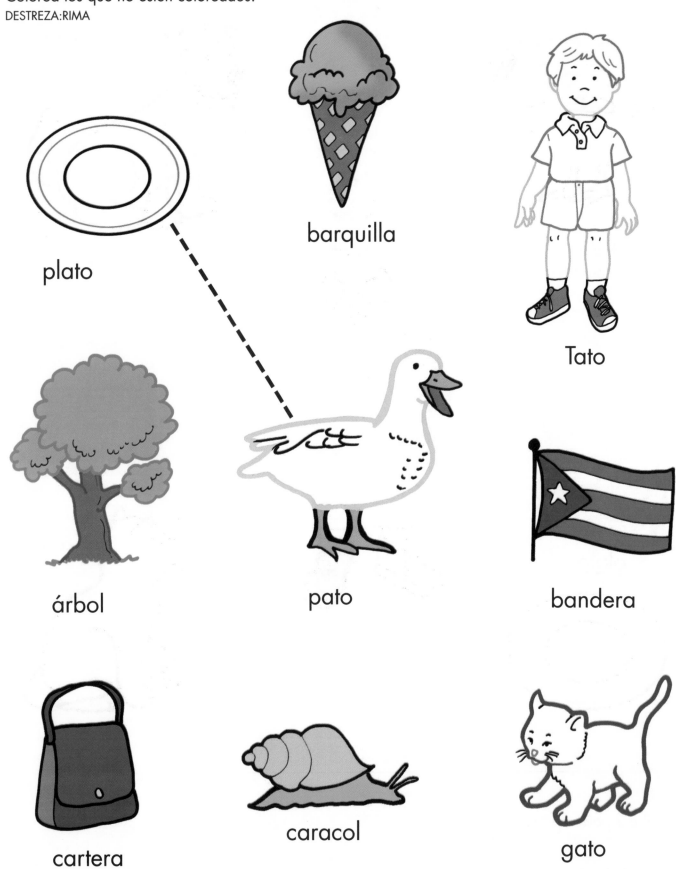

plato

barquilla

Tato

árbol

pato

bandera

cartera

caracol

gato

Encierra y colorea los dibujos que riman con:
DESTREZA:RIMA

pato

gato

Tato

caracol

vaso

sato

plato

corazón

taza

Asocia los dibujos que riman entre sí. Repite sus nombres en voz alta. Colorea o puntea.
REPASO DESTREZA RIMA

rodillo

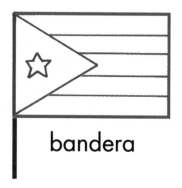

bandera

barquilla

botón

cartera

tornillo

tambor

sombrilla

ratón

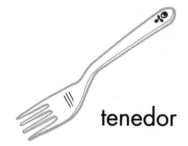

tenedor

Asocia los dibujos que riman entre sí. Repite sus nombres en voz alta. Colorea o puntea.
REPASO DESTREZA RIMA

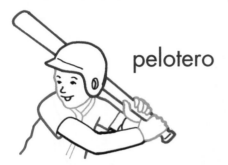

pelotero

cama

violín

gato

caracol

sombrero

Lama

frijol

pato

Carmín

Busca el dibujo cuyo nombre rime con el primero a la izquierda. Colorea los que no estén coloreados.
DESTREZA:RIMA

sol	caracol	cartera	bombilla
ratón	sombrero	avión	sato
pato	ojo	Tato	bandera
cojín	plato	manzana	Carmín

EVALUACION
Busca el dibujo cuyo nombre rime con el primero a la izquierda. Colorea los que no estén coloreados.
DESTREZA:RIMA

corazón	chiringa	botón	barquilla
caracol	cartera	estrella	sol
bandera	regadera	gato	árbol
rama	flor	cama	peinilla

EVALUACION
Busca el dibujo cuyo nombre rime con el primero a la izquierda. Colorea los que no estén coloreados.
DESTREZA:RIMA

sombrero	china	babero	sol
barquilla	peinilla	corazón	bola
tenedor	manzana	flor	peinilla
patín	flor	cojín	bandera

EVALUACION
Asocia los dibujos cuyos nombres rimen. Colorea o puntea.
DESTREZA:RIMA

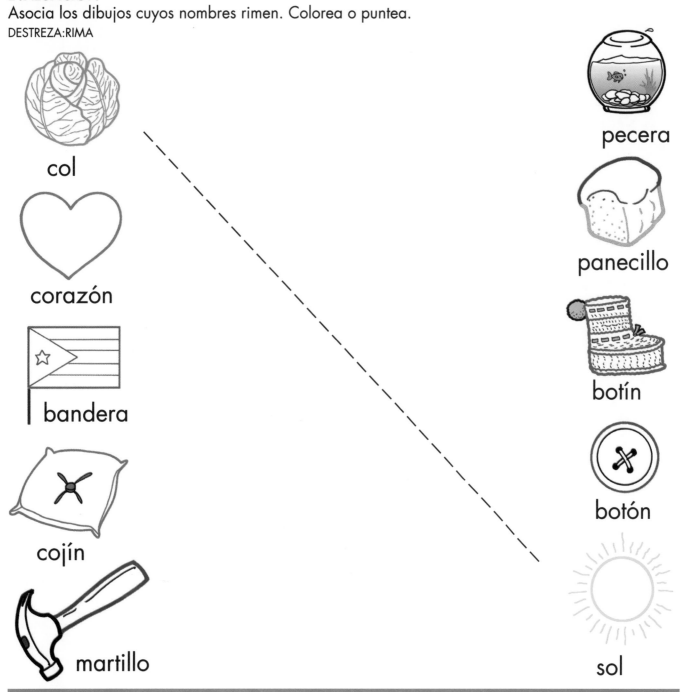

col

corazón

bandera

cojín

martillo

pecera

panecillo

botín

botón

sol

Dibuja algo cuyo nombre rime con el dibujo de abajo.

Repite los nombres de los dibujos en la página. Escucha bien el nombre de la primera letra.
Enciérralo con lápiz o crayola. Colorea o puntea.
DESTREZA: VOCALES

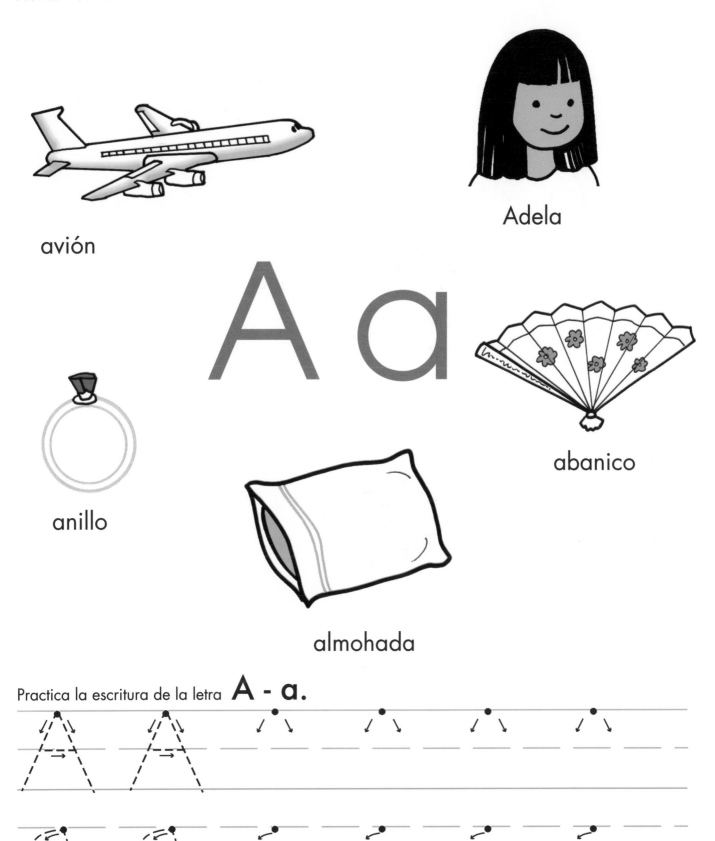

avión

Adela

A a

anillo

abanico

almohada

Practica la escritura de la letra **A - a.**

Colorea los dibujos que empiezan igual a la letra que está en la parte de arriba de la página.
Enciérrala y repítela en voz alta.
DESTREZA:VOCALES

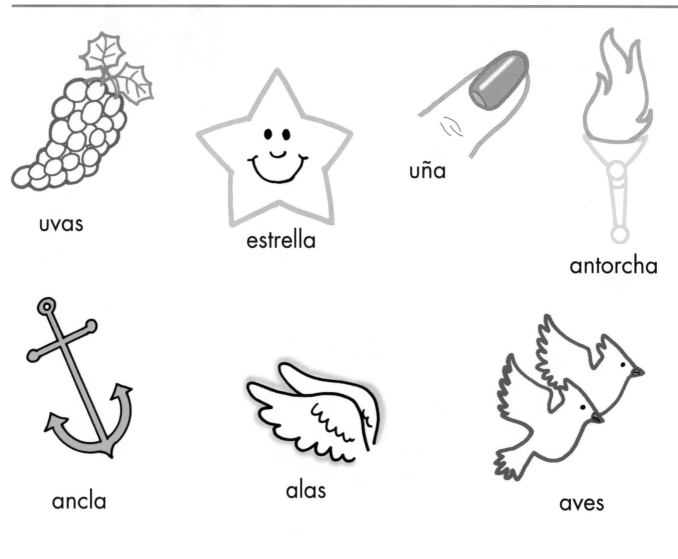

uvas

estrella

uña

antorcha

ancla

alas

aves

Practica la escritura de la letra **A - a.**

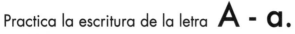

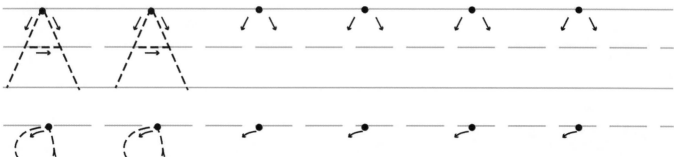

Repite los nombres de los dibujos en la página. Escucha bien el sonido de la primera letra.
Enciérralo con lápiz o crayola. Colorea o puntea.
DESTREZA:VOCALES

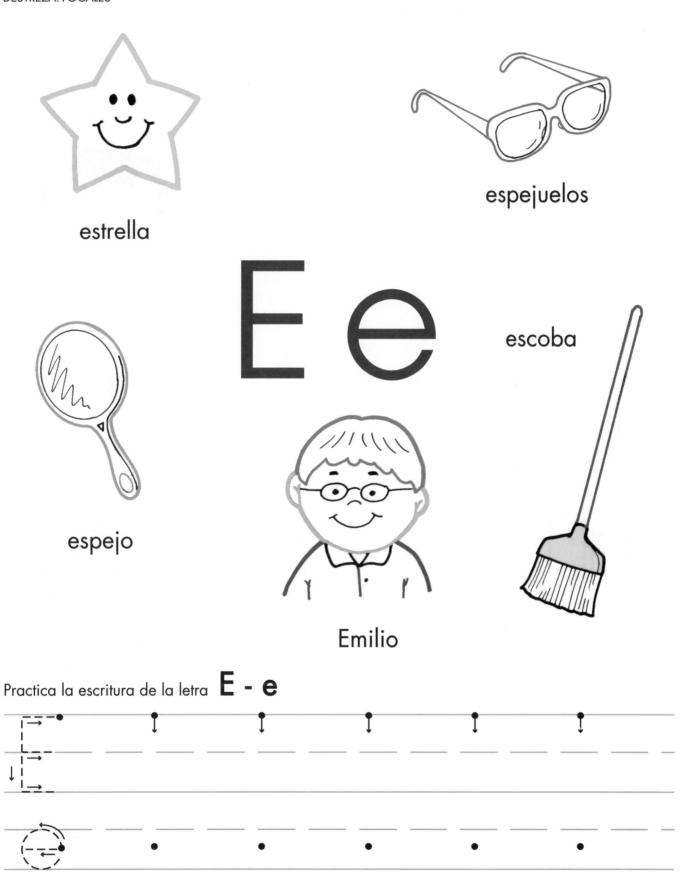

estrella

espejuelos

E e

escoba

espejo

Emilio

Practica la escritura de la letra **E - e**

Colorea los dibujos que empiezan igual a la letra que está en la parte de arriba de la página.
Enciérrala y repítela en voz alta.

DESTREZA:VOCALES

E e

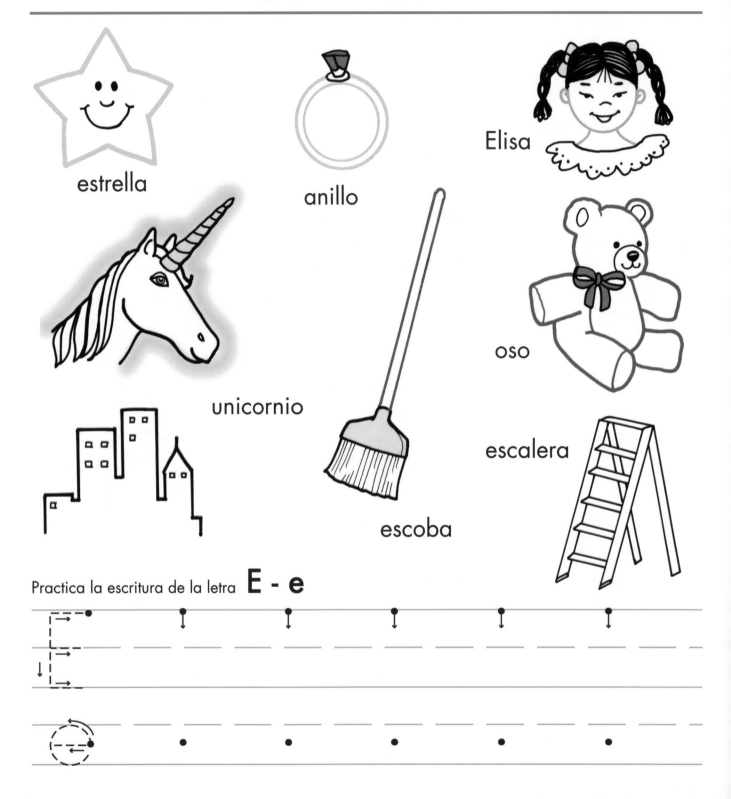

estrella

anillo

Elisa

unicornio

oso

escoba

escalera

Practica la escritura de la letra **E - e**

Marca con una X la letra con la que empieza el nombre del dibujo en cada cuadro.
Repítela en voz alta. Copia las vocales en las líneas debajo de cada una de ellas.Colorea o puntea.
DESTREZA:VOCALES

anillo

a e

___ ___

Emilio

A E

___ ___

Adela

A E

___ ___

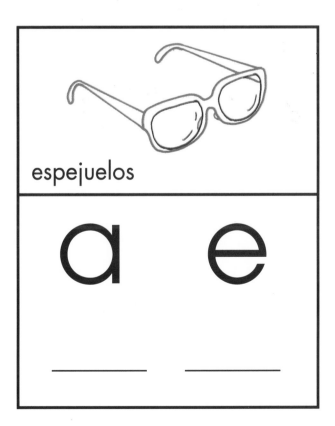

espejuelos

a e

___ ___

Repite los nombres de los dibujos en la página. Escucha bien el sonido de la primera letra.
Enciérralo con lápiz o crayola. Colorea o puntea.
DESTREZA:VOCALES

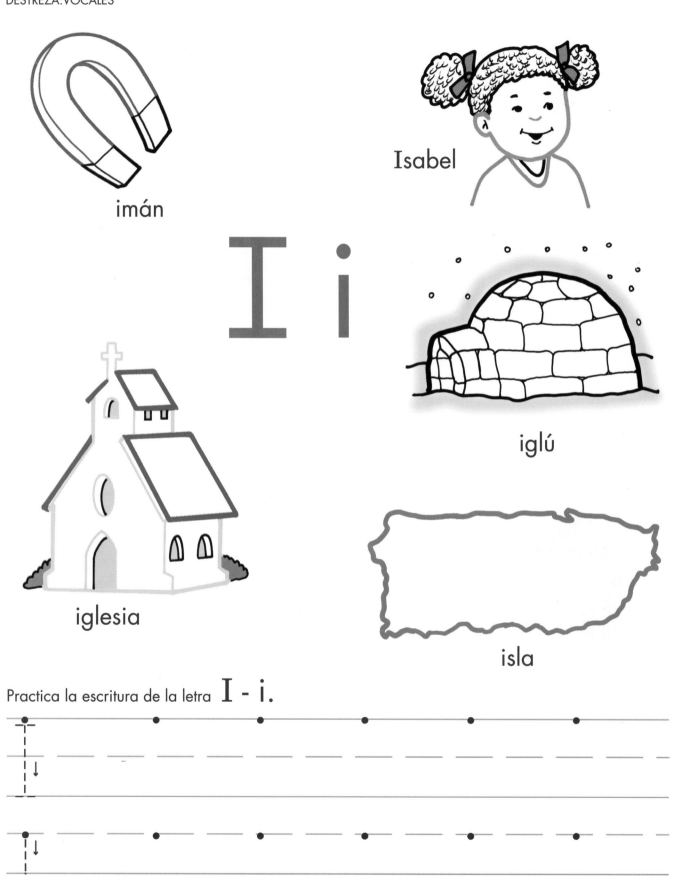

imán

Isabel

I i

iglú

iglesia

isla

Practica la escritura de la letra I - i.

Colorea los dibujos que empiezan igual a la letra que está en la parte de arriba de la página.
Enciérrala y repítela en voz alta.
DESTREZA:VOCALES

I i

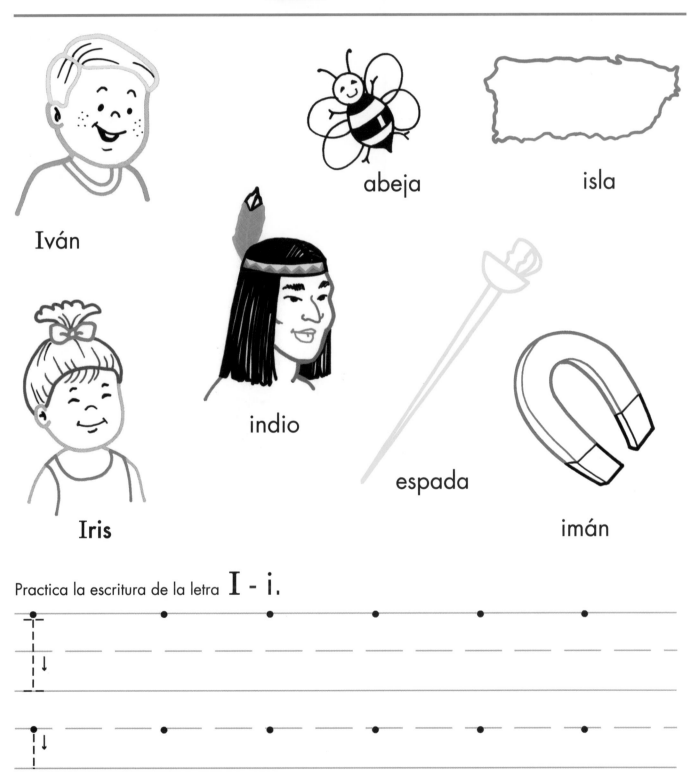

Iván

abeja

isla

indio

espada

Iris

imán

Practica la escritura de la letra I - i.

Marca con una X la letra con la que empieza el nombre del dibujo en cada cuadro.
Repítela en voz alta. Copia las vocales en las líneas debajo de cada una de ellas. Colorea o puntea.
DESTREZA: VOCALES

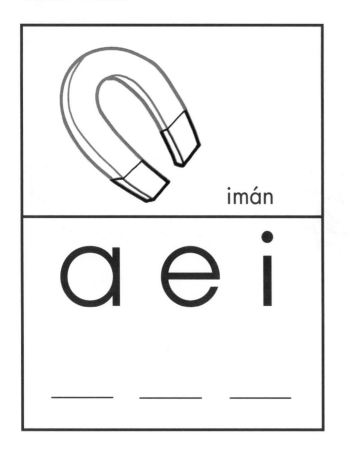

imán

a e i

___ ___ ___

avión

a e i

___ ___ ___

estrellas

a e i

___ ___ ___

Isabel

A E I

___ ___ ___

Repite los nombres de los dibujos en la página. Escucha bien el sonido de la primera letra.
Enciérralo con lápiz o crayola. Colorea o puntea.
DESTREZA: VOCALES

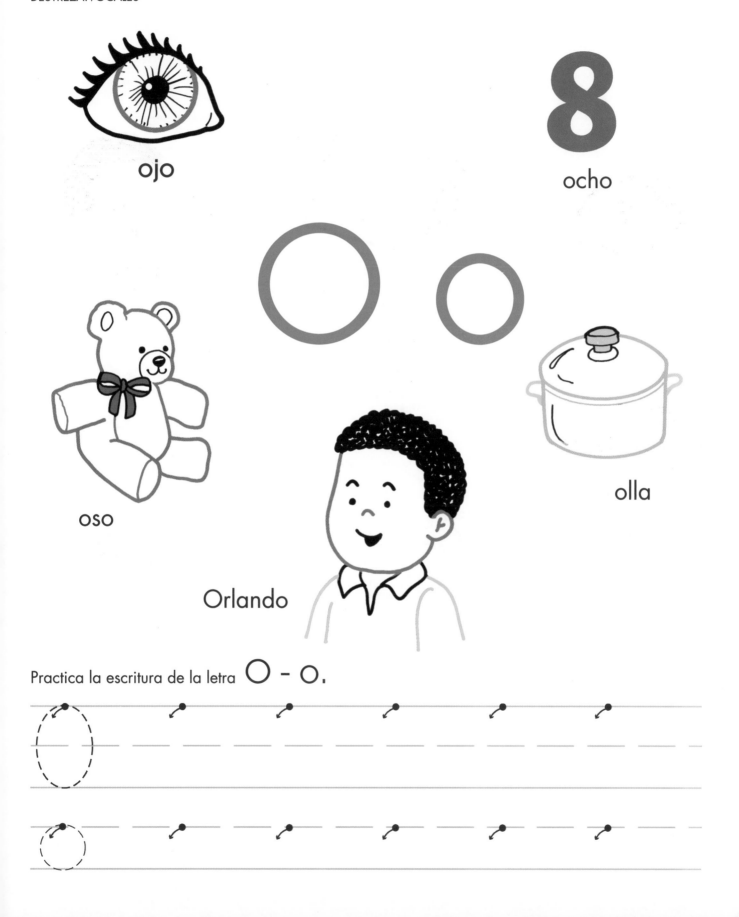

ojo

ocho

oso

Orlando

olla

Practica la escritura de la letra O - o.

Colorea los dibujos que empiezan igual a la letra que está en la parte de arriba de la página.
Enciérrala y repítela en voz alta.
DESTREZA:VOCALES

ojo

almohada

Orlando

8
ocho

uvas

Olga

elefante

olla

Practica la escritura de la letra O - o.

Marca con una X la letra con la que empieza el nombre del dibujo en cada cuadro.
Repítela en voz alta. Copia las vocales en las líneas debajo de cada una de ellas.Colorea o puntea.
DESTREZA: VOCALES

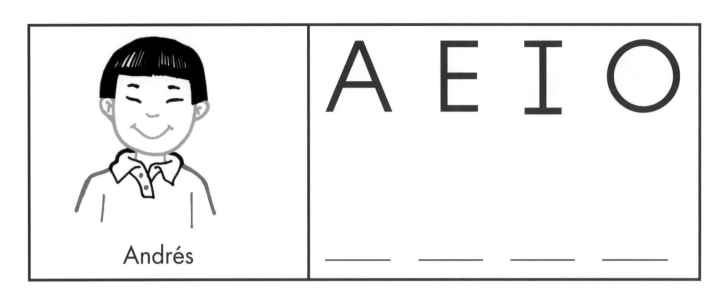

Andrés

A E I O

___ ___ ___ ___

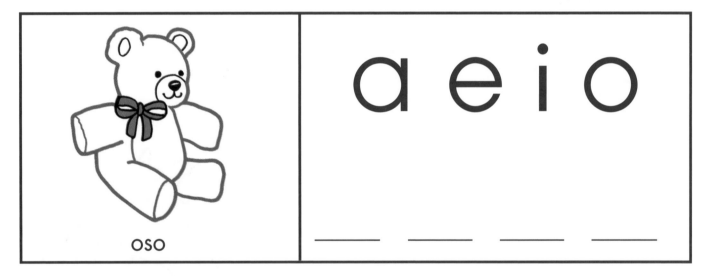

oso

a e i o

___ ___ ___ ___

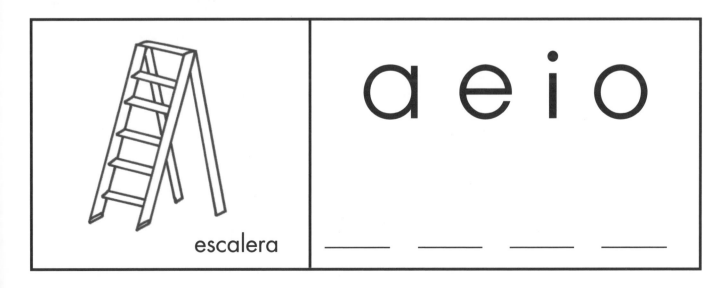

escalera

a e i o

___ ___ ___ ___

Repite los nombres de los dibujos en la página. Escucha bien el sonido de la primera letra.
Enciérralo con lápiz o crayola. Colorea o puntea.

DESTREZA: VOCALES

Ulises

ungüento

Uu

uvas

uniforme

uña

unicornio

Practica la escritura de la letra U - u.

Colorea los dibujos que empiezan igual a la letra que está en la parte de arriba de la página.
Enciérrala y repítela en voz alta.
DESTREZA: VOCALES

Uu

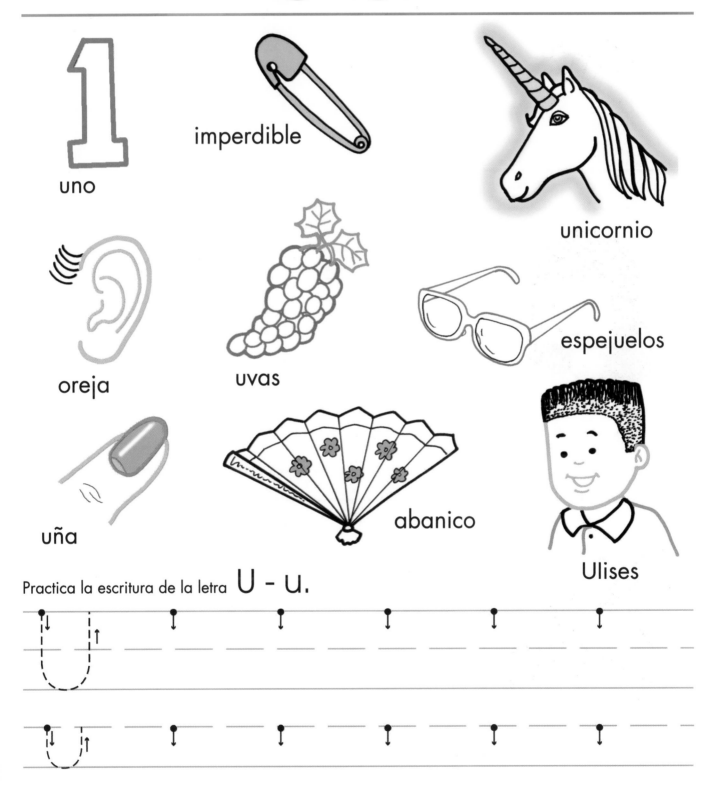

uno

imperdible

unicornio

oreja

uvas

espejuelos

uña

abanico

Ulises

Practica la escritura de la letra U - u.

Marca con una X la letra con la que empieza el nombre del dibujo en cada cuadro. Colorea o puntea.
Repítela en voz alta. Copia las vocales en las líneas debajo de cada una de ellas. Colorea o puntea.
DESTREZA: VOCALES

Andrés

A E I O U

____ ____ ____ ____ ____

Adela

A E I O U

____ ____ ____ ____ ____

unicornio

a e i o u

____ ____ ____ ____ ____

Asocia el dibujo con la letra con la cual comienza su nombre. Colorea o puntea.
DESTREZA: VOCALES

espejuelos

unicornio

Adela

Ismael

olla

A a

E e

I i

O o

U u

Colorea los dibujos. Recorta los cuadros que ves y pégalos en los espacios en blanco del árbol dibujado en la página siguiente. Repite los nombres de cada dibujo.
¿Con qué letra empiezan los nombres de cada cuadro?
DESTREZA: VOCALES

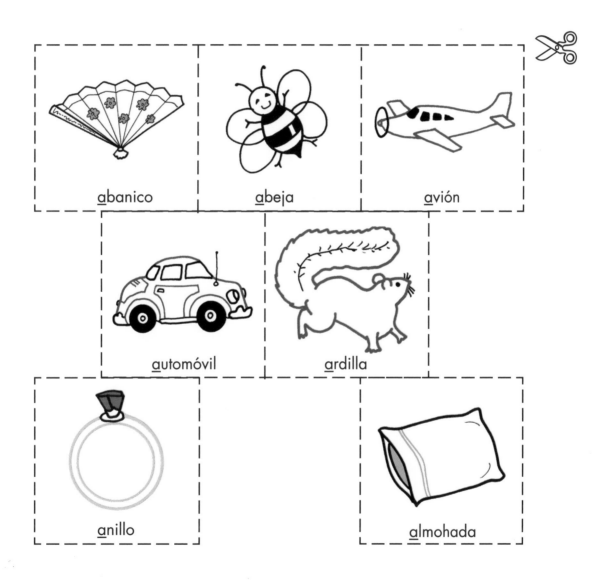

abanico

abeja

avión

automóvil

ardilla

anillo

almohada

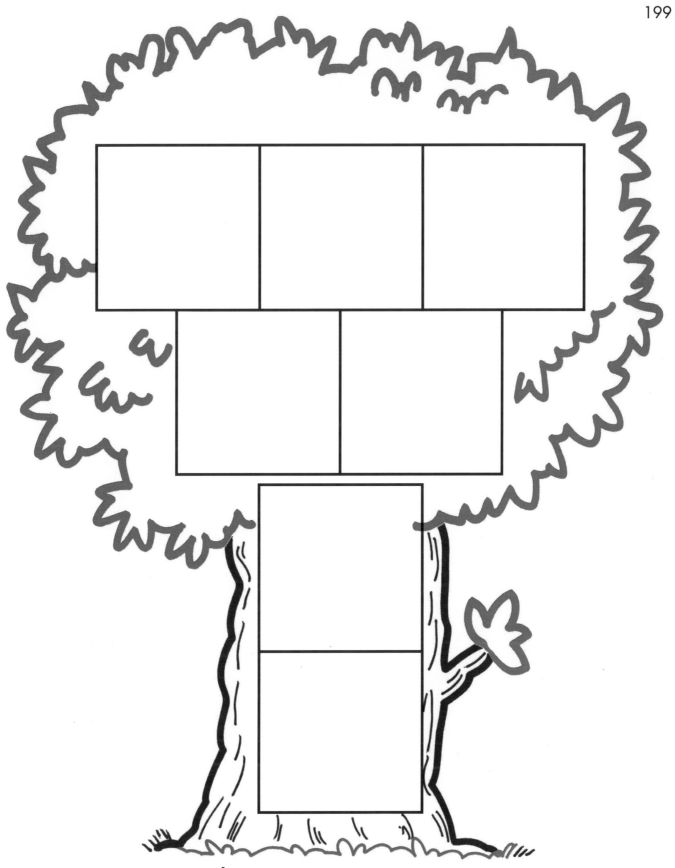

Practica la escritura de la vocal **A - a.**

A ----- a

Colorea los dibujos. Recorta los cuadros que ves y pégalos en los espacios en blanco del elefante dibujado en la página siguiente. Repite los nombres de cada dibujo.
¿Con qué letra empiezan los nombres de cada cuadro?
DESTREZA: VOCALES

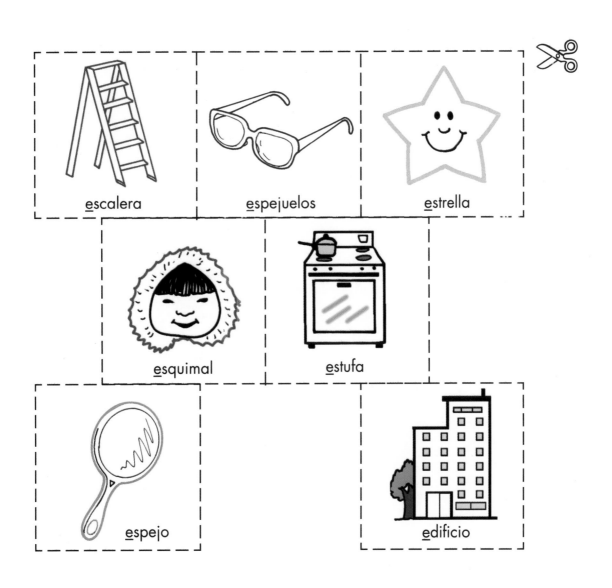

Practica la escritura de la vocal **E - e.**

E

e

Nombre:

Colorea los dibujos. Recorta los cuadros que ves y pégalos en los espacios en blanco de la isla de Puerto Rico dibujada en la página siguiente. Repite los nombres de cada dibujo.
¿Con qué letra empiezan los nombres de cada cuadro?
DESTREZA: VOCALES

iglú

imán

iglesia

indio

isla

imperdible

Iris

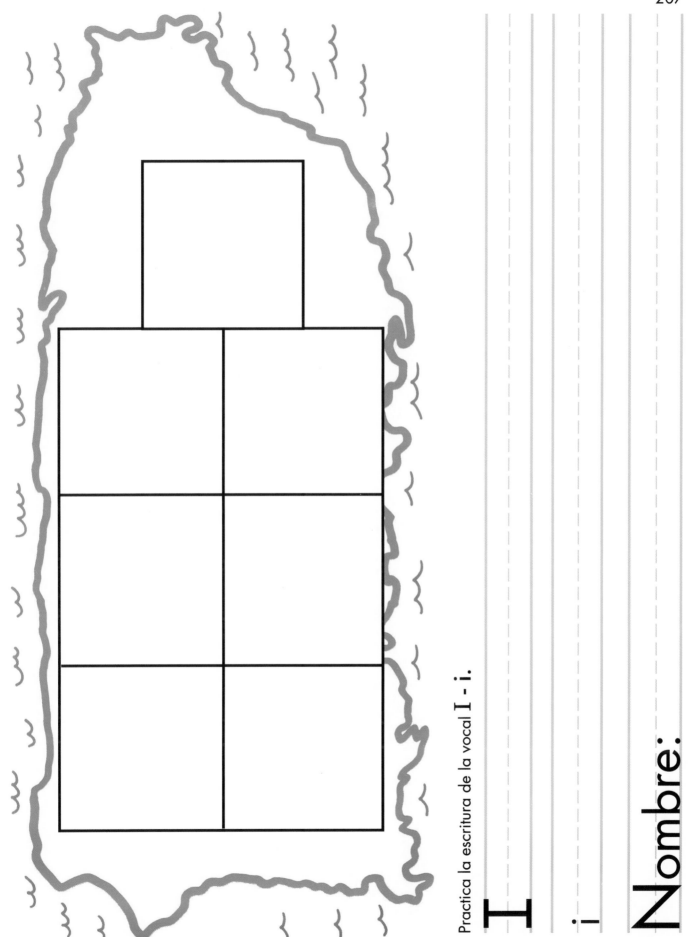

Practica la escritura de la vocal I - i.

I i

Nombre:

Colorea los dibujos. Recorta los cuadros que ves y pégalos en los espacios en blanco del oso dibu-
jado en la página siguiente. Repite los nombres de cada dibujo.
¿Con qué letra empiezan los nombres de cada cuadro?
DESTREZA: VOCALES

<u>o</u>jo   <u>o</u>cho   <u>o</u>lla

<u>o</u>reja   <u>o</u>veja

<u>o</u>nce   <u>O</u>rlando

Practica la escritura de la vocal O - o.

Colorea los dibujos. Recorta los cuadros que ves y pégalos en los espacios en blanco en el dibujo de la página siguiente. Repite los nombres de cada dibujo.
¿Con qué letra empiezan los nombres de cada cuadro?
DESTREZA: VOCALES

uno

uña

uvas

uniforme

ungüento

urraca

Ulises

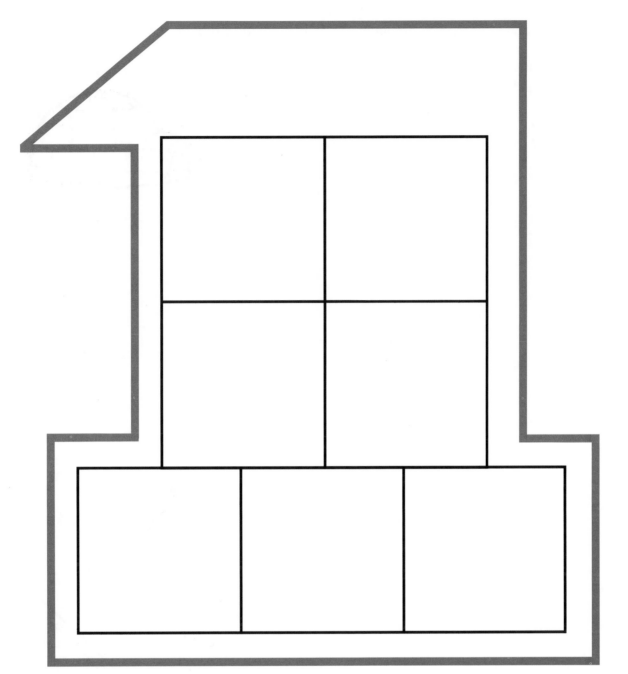

Practica la escritura de la vocal **U - u.**

U

u

Nombre:

Asocia las vocales con la vocal que empieza el nombre de cada dibujo. Colorea o puntea.
DESTREZA: VOCALES

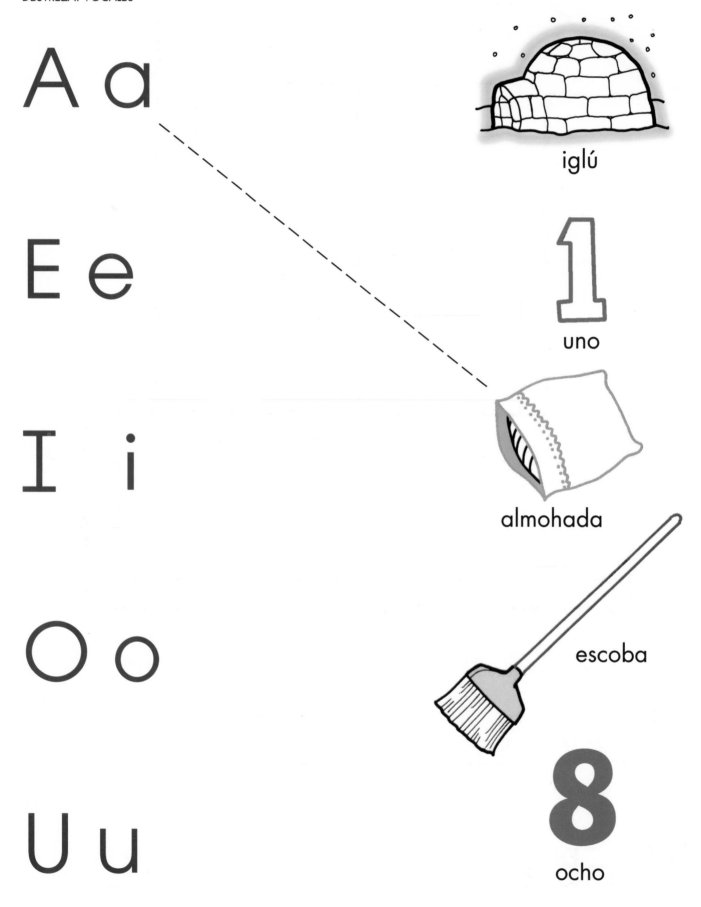

A a

E e

I i

O o

U u

iglú

1
uno

almohada

escoba

8
ocho

Dibuja algo cuyo nombre empiece con la letra del nombre del dibujo correspondiente.
DESTREZA: VOCALES

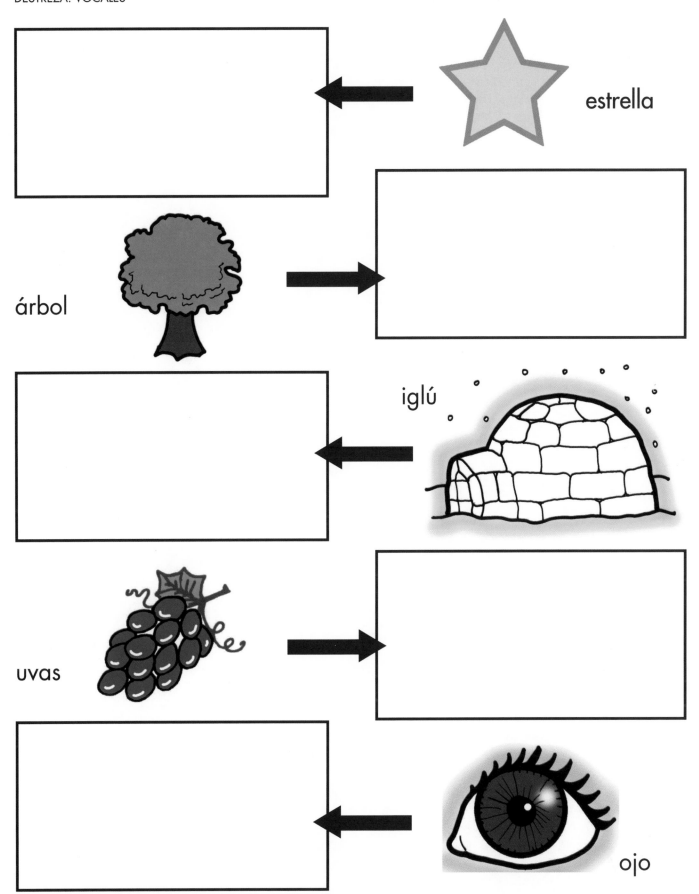

estrella

árbol

iglú

uvas

ojo

EVALUACION
Asocia las vocales mayúsculas con las minúsculas.
DESTREZA: VOCALES

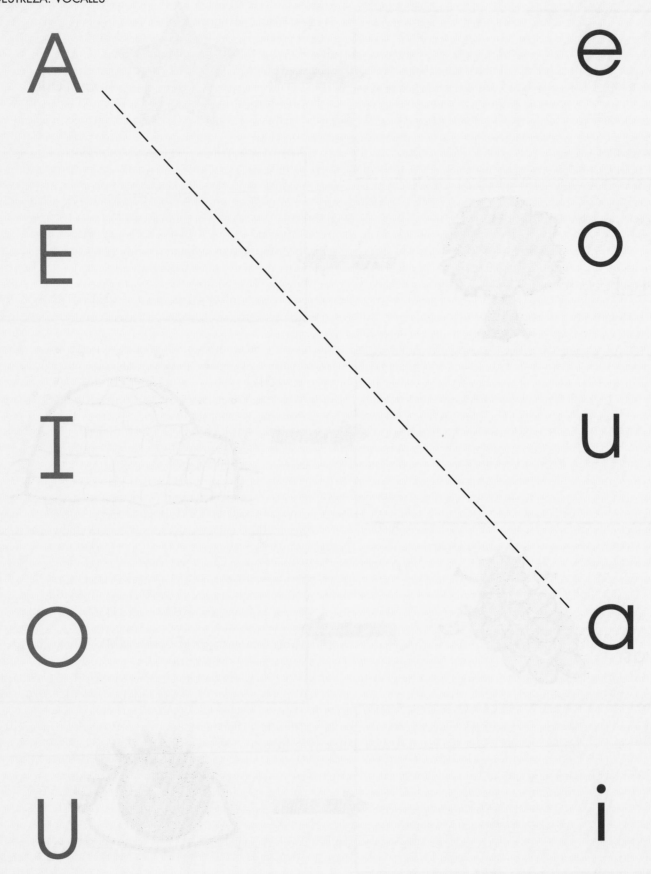

Actividades sugeridas al enseñar las destrezas:

Es bueno y conveniente recordar que los ejercicios del libro vienen a ser la última etapa o aplicación (comprobación de lo aprendido) en lo que es la metodogía de la enseñanza bien aplicada. Nunca se debe usar el ejercicio del libro como única forma para presentar la actividad del día. Antes, la maestra o tutor debe pasar por las diferentes fases, a saber:

a) **concreta** - presentar objetos, cosas iguales o parecidas a las que aparecerán en la página de ejercicios en su forma real. Ej. si en la página a trabajar ese día aparecen botones, chapas, paletas, etc. llevar estos objetos en su forma real. Hablar sobre los objetos presentándolos uno a uno. Aclarar el significado, uso, forma, color, tamaño de cada cosa. Hacer un juego parecido al ejercicio que aparece en el libro. Jugarlo sobre una mesa varias veces y fijarse que los estudiantes van comprendiendo la idea del juego. Repetir las instrucciones y los nombres de los objetos cada vez que viene un nuevo jugador. Siempre se debe comenzar a repetir o nombrar los objetos de izquierda a derecha para ir acostumbrando el ojo al movimiento que utilizará más tarde en la lectura. Luego pasamos a la próxima etapa:

b) **semi-concreta** - en esta etapa se pueden utilizar siluetas, láminas o carteles. Estos deben estar relacionados o presentados de una forma igual o parecida al ejercicio que ya el estudiante hizo en la fase concreta y que luego hará en la página del libro. Realizar el ejercicio varias veces repitiendo los nombres de las cosas que aparecen en siluetas o láminas siempre de izquierda a derecha. La maestra debe estar alerta y verificar si la mayoría de los estudiantes han captado la idea del ejercicio. Ayudar al estudiante que no haya comprendido hasta que no tenga dudas. Luego que todos los estudiantes hayan captado la idea, se pasa a la tercera etapa:

c) **abstracta** - Utilizando una página igual a la del ejercicio que se va a realizar en el libro, la maestra lo presenta y con la ayuda de los estudiantes nombra las láminas o dibujos que aparecen en la misma, aclarando significados, usos, formas, tamaños, etc. de cada cosa. Pegar la página del ejercicio en la pizarra o felpógrafo. Realizar el ejercicio con la ayuda de los estudiantes. Aclarar cualquier duda que pueda surgir. Explicar que cada uno va a realizar un ejercicio igual al que han hecho entre todos. Esta vez cada uno lo hará individualmente en su cuaderno. Los estudiantes realizarán el ejercicio. Cada uno debe trabajar solo. La maestra irá airededor de las mesas observando que se esté llevando a cabo el ejercicio como es debido. Dará ayuda individual de ser necesario. Luego de completado el ejercicio se le da oportunidad al estudiante para que coloree las ilustraciones. Esto lo ayuda a continuar desarrollando los músculos de las manos. La maestra aprovechará este tiempo para pasar por cada mesa y corregir los trabajos.

1. DESTREZA: COLOR (páginas 2-25)

   a) **Fase concreta -** Las ilustraciones presentadas en esta destreza se pueden conseguir todas en su forma real, excepto el sol, el cielo y la foca, que se observan. Conversar sobre las diferentes cosas traídas al salón aclarando significados, usos, color, formas, tamaños, etc. Cantar y recitar poesías relacionadas con el tema del día.

   b) **Fase semi-concreta -** Todas las ilustraciones de esta destreza se pueden conseguir o preparar en siluetas o láminas. Seguir las actividades sugeridas para enseñar los colores presentados en la página del libro.

   c) **Aplicación -** realizar el trabajo en cada página luego de haber completado las fases a y b.

Evaluación - Utilizando las ilustraciones de la página 20 la maestra llamará a cada estudiante individualmente y le pedirá que coloree cada dibujo de acuerdo al color que le corresponde. Ej. Colorea la hoja de verde. Así sucesivamente hasta que haya completado los nueve colores.

2. DESTREZA: DETALLES (páginas 27-43)

   a) **Fase concreta -** Con juguetes en miniatura se puede preparar una escena similar o parecida a las que aparecen en las láminas. Se observan todos los objetos y se nombran correctamente. Aclara su uso, significado, forma, color. Se puede crear alguna historia relacionada con los objetos. Repetir varias veces los nombres de las cosas que aparecen en la escena. La maestra le pedirá a los niños que cierren los ojos. Quitará uno de los objetos de la escena creada. Los niños observarán para ver qué falta. Se repite el juego varias veces quitando diferentes objetos. Antes de jugar se mencionan los nombres de todos los objetos varias veces.

   b) **Fase semi-concreta -** Preparar cartel con láminas parecidas a la escena del libro. Con siluetas se puede preparar un buen cartel en el felpógrafo. Seguir el mismo procedimiento que se realizó con la fase concreta.

   c) **Fase abstracta -** Utilizando las páginas del libro, primero, la maestra presentará la página con todos los detalles. Hablar y aclarar dudas sobre el mismo. Quitar la página con todos los detalles. Presentar la página donde faltan detalles. Invitar a los niños a que digan qué cosas faltan. Hacer una X en el lugar donde falta algún detalle. Aclarar dudas. Cada niño realizará los ejercicios que aparecen en su libro. La maestra supervisa y aclara dudas. Los niños colorean el trabajo luego de corregido por la maestra.

3. DESTREZA: DETALLES DE FORMA (páginas 44-50)

   a) **Fase Concreta-**Conseguir juguetes o cosas reales. Identificarlas y describirlas de acuerdo a su color, forma, tamaño, uso, etc. Debe haber por lo menos 4 objetos de los mismos. Ej. 4 sombrillitas, 4 zapatitos, etc. Colocar los objetos iguales en una fila de izquierda a derecha sobre una mesa. La maestra va señalando de izquierda a derecha e invita a los niños a observar lo señalado. Los niños cierran los ojos. La maestra le quitará algo a uno de los cuatro objetos. Cuando los niños abren los ojos tratan de adivinar qué falta. Jugar varias veces con diferentes objetos.

b) **Fase semi concreta -** Utilizando siluetas o láminas en 4 grupos iguales preparar un juego parecido a los que aparecen en las páginas del libro. Enfatizar el movimiento de izquierda a derecha. Los niños cierran los ojos, la maestra quitará algo a una silueta. Los niños dirán qué falta. Repetir el juego varias veces. Aclarar dudas.

c) **Fase abstracta -** Presentar una página igual a la que se trabajará en el libro. Observar la fila superior de izquierda a derecha. Ver dónde falta algo. Hacer una X. Seguir trabajando los demás grupos con igual procedimiento. Finalizado el trabajo la maestra corrige. El estudiante colorea.

Evaluación (páginas 47 y 51) La maestra llama a cada niño individualmente. Le presenta la hoja de trabajo y da las instrucciones. Se siguen los procedimientos seguidos en evaluaciones anteriores.

4. DESTREZA: TAMAÑO (página 53 - 58)

El procedimiento es el mismo a seguir que el anterior en cuanto a las fases se refiere: concreta, semi-concreta y abstracta.

El juego es diferente pues va a haber tres objetos iguales en tamaño y uno diferente. El de diferente tamaño va a ser el que el niño deba marcar; puede ser el más grande o el más pequeño.

5. DESTREZA: DIRECCIÓN (páginas 59 - 67)

Procedimiento igual a anteriores destrezas. El juego o actividad de esta destreza consiste en observar y marcar el objeto o dibujo que está en diferente dirección.

6. DESTREZA: POSICIÓN (páginas 69 - 79)

Procedimiento igual a anteriores destrezas. El juego de esta destreza consiste en ver y marcar el dibujo o figura que está en diferente posición.

7. DESTREZA: ASOCIACIÓN (páginas 81 - 89)

a) **Fase concreta:** Conseguir varios grupos de cosas que se puedan asociar. Ej. libro - lápiz, platillo - taza. Colocar el libro, el platillo al lado izquierdo sobre la mesa. Al lado derecho colocar respectivas parejas de cada uno pero en desorden. La posición en que se coloquen los objetos puede ser vertical u horizontal. En el libro el ejercicio aparece en posición vertical. Observar objetos. Conversar sobre éstos aclarando dudas acerca de su significado, uso, color, forma, tamaño, etc. Conseguir un pedazo de cinta o cordón. Colocar la cinta al lado del libro (izquierdo). Invitar a un niño que venga a colocar la cinta en el extremo donde está el compañero o pareja que le corresponde al libro. Se estira la cinta hasta que llegue a donde está el lápiz. Utilizar el mismo procedimiento con los demás objetos. Usar otros grupos de objetos y repetir la actividad. Recordar que siempre se comienza este ejercicio de izquierda a derecha.

b) Fase seml-concreta - Esta fase se puede realizar en la pizarra o felpógrafo utilizando láminas y siluetas. En la pizarra se puede trazar la línea con una tiza. El procedimiento es igual al de la fase concreta en cuanto a la forma de realizar el juego. Recordar que siempre se comienza a trazar o marcar de izquierda a derecha.

Evaluación: se puede utilizar cualquiera de las páginas para evaluación, o si la maestra lo prefiere puede preparar una por su cuenta. El procedimiento es el mismo que se ha utilizado para destrezas anteriores.

8. DESTREZA: CLASIFICACIÓN (página 91 - 99)

En esta destreza no estamos haciendo otra cosa sino agrupando o señalando cosas por temas o características específicas que posean las mismas.

Por ejemplo, en la página 91 el tema es los diferentes tipos de viviendas de otros países. La maestra debe conseguir láminas y objetos parecidos a los que aparecen en la página para poder llevar a cabo las fases concretas y semi-concretas. El iglú podría prepararlo en plasticina o cerámica y tenerlo al alcance cuando le sea necesario.

Recomiendo utilizar una página por día ya que siendo temas diferentes se le puede sacar bastante provecho a cada página.

9. DESTREZA: ORDEN (páginas 101 - 106)

Al llegar a esta destreza ya el niño está bastante maduro en cuanto al movimiento de izquierda a derecha de sus ojos que ha ido desarrollando a través de las destrezas anteriores.

a) Fase concreta - Conseguir 4 grupos iguales, cada uno con 3 objetos diferentes. El lápiz, botón, flor. Dividir la mesa o superficie donde se esté demostrando, en cuatro partes. Al espacio a la izquierda le vamos a llamar el primero, al otro el segundo, el tercero y el cuarto. En el primer espacio se coloca: lápiz, botón y flor. Repetir en voz alta llamando la atencion del orden en que se han colocado. ¿Cuál o qué está primero? ¿Qué está segundo?, etc. Repetir varias veces: lápiz, botón, flor. Colocar los otros grupos de objetos en los espacios segundo, tercero y cuarto. En uno de estos tres grupos se van a colocar los objetos en el mismo orden que en el primero.

Los otros grupos se colocan en orden diferente: (1) botón, flor, lápiz; (2) flor, lápiz, botón. Repetir el orden del primero. Invitar a los niños a buscar el grupo que está en el mismo orden que el primero. Jugar varias veces con diferentes grupos de objetos.

b) Fase semi-concreta - Se realiza más o menos la misma actividad o procedimiento, esta vez con siluetas o láminas en el felpógrafo o pizarra.

c) Fase abstracta - Realizar la página del libro. Recomiendo una página por día ya que esta es una destreza bastante difícil. El maestro notará que los niños más maduros son los primeros que la captan. Se debe tener mucha paciencia y repasar siempre que sea necesario.

10. DESTREZA: PATRONES (páginas 109 - 112)

Antes de realizar esta destreza los niños pueden jugar ensartando cuentas en un cordón formando un patrón específico dado por la maestra; Ej. dos cuentas rojas, una azul, dos rojas, una azul. La maestra dirá: "ésto que estamos haciendo se llama patrón". Repetir el patrón. También pueden usarse objetos sobre una mesa. Ej.: dos crayolas, un lápiz, dos crayolas. La maestra pregunta: "¿Qué continuará este patrón? ¿Dos crayolas? ¿Un lápiz?" (La respuesta debe ser un lápiz). Repetir este tipo de ejercicio y otros parecidos varias veces concretamente y semi concretamente (felpógrafo). Realizar ejercicios parecidos a los que aparecen en el libro en la pizarra y/o felpógrafo. Realizar páginas de ejercicio en el libro.

11. DESTREZA: ORDEN DE SUCESOS (páginas 115-132)

a) **Fase concreta -** Esta destreza ayuda a los niños al razonamiento luego de la observación. Por ejemplo, se pueden sembrar unas plantitas en el salón con la ayuda de los niños. Se prepara el terreno y se colocan las semillas. Todos los días se observa el semillero hasta ver que las semillas germinen. Observar el desarrollo de la plantita y hacer comentario.

b) **Fase semi-concreta -** Preparar o conseguir grupo de láminas que representen el proceso de germinación. Deben estar separadas en 4 cuadros. Recordar el proceso de germinación visto por los niños. Ir enfatizando qué fue lo primero que hicimos, luego qué pasó, lo segundo, lo tercero, lo cuarto, para así ir acostumbrando a los niños a recordar un orden de lo sucedido. Presentar los cuadros con el proceso de germinación en desorden. Los niños los ordenarán de acuerdo al orden lógico del mismo. Realizar la actividad varias veces. Este ejercicio se presta para introducir los números ordinales primero, segundo, tercero y cuarto.

c) **Fase abstracta -** Los niños recortarán los cuadros que aparecen en la página 115 y los pegarán en la página 117 de acuerdo al orden correcto. De esta misma manera las demás actividades deben ser realizadas luego de la observación o experimentación directa.

12. DESTREZA: RIMA (paginas 133 -179)

a) **Fase concreta -** La maestra invita a los niños a escuchar el verso que ella va a decir. Enfatizar el sonido de la rima final que se está estudiando cuando lo esté diciendo en voz alta. Preguntar a los niños: "¿Qué ustedes oyen? ¿Qué ustedes notan? Cuando las palabras suenan igual al final, decimos que riman". Repetir las palabras que riman en el verso exagerando el sonido para que los niños capten la idea. Buscar objetos de una caja o bolsa e ir diciendo sus nombres.Todos deben rimar entre sí. ¿Qué pasa con los nombres de estos objetos o cosas? Riman.

b) **Fase semi-concreta -** Realizar más o menos la misma actividad anterior, esta vez con siluetas o láminas que terminen con el sonido introducido. Destacar siempre el sonido final al repetirto. Colocar una lámina con el sonido bajo estudio en el medio. Colocar otras láminas alrededor de éste. Unos tendrán el mismo sonido final. Otros no. Trazar una línea desde la lámina del centro hasta la de afuera que rime con ésta. Realizar la actividad varias veces. Aclarar dudas.

c) **Fase abstracta -** Realizar los ejercicios del libro. Recomiendo una página por día. Por ejemplo, Colorea los dibujos, un día. Busca los dibujos cuyos nombres riman con el que está en el centro, otro día. Ya cuando los niños terminan la destreza de rima los maestros decimos que están preparados para leer. Por eso recomiendo que hasta que el niño no domine por completo esta destreza no se intente llevarlo a ninguna actividad que tenga que ver con la lectura.

Ya el niño está preparado para comenzar a conocer las letras. Comenzamos con las vocales. Para presentar este ejercicio se realizarán las fases concreta, semi-concreta y abstracta de acuerdo al ejercicio presentado.

13. DESTREZA: VOCALES (páginas 181-218)

Estos ejercicios de vocales ayudan al reconocimiento visual y auditivo de las mismas. Son ejercicios que gustan a los niños: recortar y pegar. A la misma vez va repitiendo los sonidos que poco a poco va internalizando y aprendiendo.

La maestra estará pendiente a la forma como el estudiante agarra la tijera y lo ayudará cuando sea necesario. Los ejercicios en las páginas 197, 201, 205, 209 y 213 los harán los estudiantes guiados por la maestra.